LAROUSSE
Cuisine & Cie

Muffins, Cupcakes & petits gâteaux

Édition originale
Cet ouvrage a été publié pour la première fois en 2010
sous le titre *Good Food 101 Cupcakes & Small Bakes*
par BBC Books, une marque de Ebury Publishing,
un département de The Random House Group Ltd.

Toutes les recettes de ce livre ont été publiées
pour la première fois dans BBC Good Food magazine.

Édition française
Direction éditoriale Delphine BLÉTRY
Édition Julie TALLET
Traduction Hélène NICOLAS
Direction artistique Emmanuel CHASPOUL
Réalisation Belle Page, Boulogne
Couverture Véronique LAPORTE
Fabrication Annie BOTREL

Les Éditions Larousse utilisent des papiers composés de fibres naturelles, renouvelables, recyclables et fabriquées à partir de bois issus de forêts qui adoptent un système d'aménagement durable. En outre, les Éditions Larousse attendent de leurs fournisseurs de papier qu'ils s'inscrivent dans une démarche de certification environnementale reconnue.

ISBN : 978-2-03-585926-6
ISSN : 2100-3343

MUFFINS, CUPCAKES & petits gâteaux

Jane Hornby

LAROUSSE

21 rue du Montparnasse 75283 Paris Cedex 06

Sommaire

Introduction

Redécouvrez le plaisir de faire vous-même vos gâteaux et vos biscuits grâce à de délicieuses recettes faciles à préparer et agréables à partager ! Cupcakes et muffins sont aujourd'hui très à la mode en France. Inutile de les acheter tout prêt ! Les cupcakes tout chocolat (voir la recette page 10), à la fois riches et légers, sont prêts en moins d'une heure et très simples à faire.

Les muffins aux myrtilles et à la vanille (voir la recette page 62), grand classique du genre, constituent une base parfaite, facile à adapter à n'importe quel fruit de saison.

Les amoureux des biscuits auront fort à faire avec toutes les recettes de sablés, cookies, et autres douceurs croustillantes présentées dans ce livre. Le chapitre sur les barres gourmandes regroupe des recettes variées au chocolat, aux céréales ou aux flocons d'avoine.

Cerise sur le gâteau, chaque recette a été testée trois fois afin de vous garantir le meilleur résultat dès le premier essai.

À propos des recettes

• Lavez tous les produits frais avant préparation.

• On trouve dans le commerce des petits œufs (de moins de 45 g), des œufs moyens (de 45 à 55 g), des gros œufs (de 55 à 65 g) et des extra-gros (de plus de 65 g). Sauf indication contraire, les œufs utilisés pour les recettes sont de calibre moyen.

• Sauf indication contraire, les cuillerées sont rases.
1 cuillerée à café = 0,5 cl
1 cuillerée à soupe = 1,5 cl

• Toutes les recettes réalisées avec des fruits en conserve peuvent, bien sûr, se cuisiner avec des fruits frais, et inversement.

TABLEAU INDICATIF DE CUISSON

THERMOSTAT	TEMPÉRATURE
1	30 °C
2	60 °C
3	90 °C
4	120 °C
5	150 °C
6	180 °C
7	210 °C
8	240 °C
9	270 °C
10	300 °C

Ces indications sont valables pour un four électrique traditionnel.
Pour les autres fours, reportez-vous à la notice du fabricant.

TABLEAUX DES ÉQUIVALENCES FRANCE – CANADA

POIDS

55 g	2 onces
100 g	3,5 onces
150 g	5 onces
200 g	7 onces
250 g	9 onces
300 g	11 onces
500 g	18 onces
750 g	27 onces
1 kg	36 onces

Ces équivalences permettent de calculer le poids à quelques grammes près (en réalité, 1 once = 28 g).

CAPACITÉS

25 cl	9 onces
50 cl	17 onces
75 cl	26 onces
1 l	35 onces

Pour faciliter la mesure des capacités, 25 cl équivalent ici à 9 onces (en réalité, 23 cl = 8 onces = 1 tasse).

Vous pouvez facilement congeler ces cupcakes avant de les glacer. Ils se réchauffent simplement en quelques minutes au micro-ondes.

Cupcakes tout chocolat

Pour 10 cupcakes
Préparation et cuisson : 35 min

- 100 g de chocolat noir
- 200 g de farine à levure incorporée
- 200 g de sucre roux
- 6 cuill. à soupe de cacao en poudre
- 15 cl d'huile de tournesol
- 10 cl de crème aigre (ou crème fraîche additionnée de quelques gouttes de jus de citron)
- 2 gros œufs
- 1 cuill. à café d'extrait de vanille
- 10 cl d'eau

POUR LE GLAÇAGE AU CHOCOLAT NOIR

- 200 g de chocolat noir
- 45 g de sucre roux
- 20 cl de crème aigre (ou crème fraîche additionnée de quelques gouttes de jus de citron)

1 Préchauffez le four à 160 °C (therm. 5-6). Disposez dix caissettes en papier dans les alvéoles d'un moule à muffins. Cassez le chocolat en morceaux, puis réduisez-le en miettes dans le bol d'un robot.

2 Dans un saladier, réunissez la farine, le sucre, le cacao, l'huile, la crème aigre, les œufs, l'extrait de vanille et l'eau. Mélangez au batteur électrique jusqu'à l'obtention d'une pâte lisse, puis incorporez le chocolat. Répartissez la pâte dans les caissettes en papier et enfournez pour 20 minutes. Laissez refroidir sur une grille.

3 Préparez le glaçage au chocolat noir. Cassez le chocolat en morceaux, puis faites-les fondre dans une casserole à feu doux avec le sucre et la crème aigre. Remuez bien le tout jusqu'à ce que le mélange soit lisse, puis faites durcir le glaçage au réfrigérateur et répartissez-le sur les gâteaux.

Une envie de changement à Pâques cette année?
Laissez-vous tenter par ces cupcakes colorés!

Cupcakes à l'orange et aux amandes

Pour 12 cupcakes
Préparation et cuisson : 55 min

- 100 g de beurre
- 100 g de sucre blond
- 2 gros œufs
- 100 g de farine
- 1 cuill. à soupe de levure
- 1 cuill. à café de zeste d'orange (non traitée) finement râpé
- 25 g d'amandes en poudre

POUR LE GLAÇAGE

- 200 g de sucre glace
- 2 cuill. à soupe d'eau
- colorants alimentaires rose, bleu et jaune

POUR SERVIR

- pâte d'amande blanche
- colorants alimentaires rose, bleu et jaune
- perles en sucre et dragées

1 Préchauffez le four à 180 °C (therm. 6). Disposez douze caissettes en papier dans les alvéoles d'un moule à muffins. Fouettez le beurre avec le sucre blond, les œufs, la farine, la levure et le zeste d'orange, jusqu'à ce que le mélange soit lisse, puis incorporez les amandes en poudre. Versez la pâte dans les caissettes en papier, enfournez pour 20 minutes, puis laissez refroidir sur une grille.

2 Préparez le glaçage. Délayez le sucre glace avec l'eau, puis versez la préparation dans trois coupelles. Colorez-la en bleu, en rose et en jaune, puis, à l'aide d'une cuillère, répartissez les différents glaçages sur les cupcakes et laissez prendre.

3 Divisez la pâte d'amande en trois morceaux et colorez chacun d'eux en rose, en bleu ou en jaune, puis façonnez de petits œufs et décorez-les du glaçage restant. Déposez sur chaque cupcake des perles en sucre et une dragée ou un œuf en pâte d'amande.

Ces adorables cheesecakes en forme de cupcakes constituent un délicieux dessert !

Mini-cheesecakes au citron et aux myrtilles

Pour 12 mini-cheesecakes
Préparation et cuisson : 35 min

- 100 g de beurre ramolli
- 100 g de sucre blond
- 2 gros œufs
- le zeste et le jus de 1 citron non traité
- 140 g de farine à levure incorporée
- 50 g de myrtilles

POUR LE GLAÇAGE

- 25 cl de crème aigre (ou crème fraîche additionnée de quelques gouttes de jus de citron)
- 25 g de sucre glace
- 1 gros œuf
- 1 cuill. à café d'extrait de vanille

1 Préchauffez le four à 180 °C (therm. 6). Beurrez douze alvéoles d'un moule à muffins et disposez deux bandes de papier sulfurisé en croix dans chacune d'elles afin de faciliter le démoulage.

2 Fouettez le beurre avec le sucre, jusqu'à ce que le mélange blanchisse. Battez légèrement les œufs et incorporez-les à la préparation. Ajoutez le zeste et le jus de citron, la farine et brassez le tout. Répartissez la pâte dans les alvéoles. Lissez, puis parsemez de quelques myrtilles, en réservant le reste. Enfournez pour 12 minutes, puis sortez le moule du four.

3 Préparez le glaçage : battez les ingrédients ensemble jusqu'à l'obtention d'un mélange lisse. Aplatissez délicatement les muffins, puis répartissez le glaçage dessus et déposez les myrtilles restantes. Enfournez et laissez cuire de 5 à 7 minutes.

Un simple glaçage et une fleur en sucre suffisent pour créer des cupcakes chics et raffinés.

Cupcakes de gala

Pour 24 cupcakes

Préparation et cuisson : 30 min

- 140 g de beurre ramolli
- 140 g de sucre blond
- 3 œufs
- 100 g de farine à levure incorporée
- 25 g de poudre pour crème pâtissière

POUR LE GLAÇAGE

- 600 g de sucre glace tamisé
- 6 cuill. à soupe d'eau
- colorants alimentaires vert et rose

POUR SERVIR

- violettes et roses cristallisées
- fleurs en azyme

1 Préchauffez le four à 190 °C (therm. 6-7) et disposez douze caissettes en papier dans les alvéoles d'un moule à muffins. Dans un saladier, battez ensemble le beurre, le sucre, les œufs, la farine et la poudre pour crème pâtissière jusqu'à l'obtention d'un mélange homogène. Répartissez la préparation dans les caissettes en papier, en les remplissant à moitié. Enfournez et laissez cuire de 12 à 15 minutes, puis laissez refroidir sur une grille.

2 Pendant ce temps, préparez le glaçage. Dans un bol, délayez le sucre glace avec l'eau, puis glacez huit cupcakes. Divisez le glaçage restant en deux et colorez-en une moitié en rose et l'autre en vert. Glacez huit gâteaux avec chaque couleur.

3 Laissez prendre le glaçage, puis décorez chaque cupcake d'une fleur cristallisée ou en azyme.

Parfaits pour Halloween, ces cupcakes se conservent deux jours dans un endroit frais.

Cupcakes araignée au chocolat et à la réglisse

Pour 12 cupcakes
Préparation et cuisson : 1 h

- 200 g de beurre ramolli
- 200 g de sucre blond
- 200 g de farine
- 4 gros œufs
- 2 cuill. à café de levure
- 1 cuill. à café d'extrait de vanille
- 6 cuill. à soupe de pépites de chocolat

POUR SERVIR

- 2 paquets de rouleaux de réglisse
- 12 cuill. à soupe de pâte à tartiner au chocolat
- bonbons à la réglisse à cœur blanc
- 1 fil gélifié rouge
- glaçage au chocolat noir (voir p. 10)

1 Préchauffez le four à 180 °C (therm. 6) et disposez douze caissettes en papier marron dans les alvéoles d'un moule à muffins. Dans un saladier, battez ensemble le beurre, le sucre, la farine, les œufs, la levure et l'extrait de vanille jusqu'à l'obtention d'une pâte lisse. Incorporez les pépites de chocolat et répartissez la préparation dans les caissettes en papier. Enfournez pour 25 minutes, puis laissez refroidir sur une grille.

2 Déroulez les rouleaux de réglisse et coupez-les en morceaux de 3 cm de long. Pratiquez huit incisions dans chaque gâteau à l'aide d'un couteau et piquez les morceaux de réglisse à l'intérieur. Étalez 1 cuillerée à soupe de pâte à tartiner sur chaque gâteau. Coupez les bonbons à la réglisse pour représenter les yeux des araignées et le fil gélifié rouge pour faire la bouche, puis disposez-les sur la pâte à tartiner. Dessinez les pupilles à l'aide du glaçage au chocolat noir.

Achetez des feuilles de menthe déjà cristallisées,
ou cristallisez-les vous-même en les passant dans du blanc d'œuf battu,
puis dans du sucre fin.

Cupcakes au chocolat et aux cerises

Pour 12 cupcakes
Préparation et cuisson : 40 min

- 50 g de chocolat noir
- 140 g de beurre
- 3 gros œufs
- 10 cl de crème aigre (ou crème fraîche additionnée de quelques gouttes de jus de citron)
- 140 g de farine
- 140 g de sucre blond
- 100 g d'amandes en poudre
- 6 cuill. à soupe de cacao en poudre
- 1 cuill. à soupe de levure
- 85 g de cerises séchées ou confites

POUR LE GLAÇAGE

- 250 g de sucre glace
- 1 cuill. à café de poudre pour crème pâtissière
- 2 cuill. à soupe d'eau

POUR SERVIR

- 12 feuilles de menthe cristallisées
- 15 g de cerises séchées ou confites

1 Préchauffez le four à 190 °C (therm. 6-7). Beurrez douze alvéoles d'un moule à muffins et disposez deux bandes de papier sulfurisé en croix dans chacune d'elles.

2 Cassez le chocolat en morceaux dans une casserole. Faites-le fondre à feu doux avec le beurre, puis laissez refroidir. Battez légèrement les œufs et incorporez-les à la préparation avec la crème aigre. Dans un saladier, mélangez la farine avec le sucre, les amandes, le cacao et la levure. Versez le contenu de la casserole dans le saladier, ajoutez les cerises et mélangez jusqu'à l'obtention d'une pâte homogène. Répartissez la pâte dans les alvéoles, puis enfournez pour 20 minutes. Laissez reposer 5 minutes et démoulez sur une grille.

3 Préparez le glaçage. Tamisez le sucre glace et la poudre pour crème anglaise au-dessus d'un saladier, puis délayez avec l'eau. Disposez les muffins à l'envers – si nécessaire, égalisez la base pour les faire tenir droit. Répartissez le glaçage sur les cupcakes et laissez-le prendre, puis décorez avec les feuilles de menthe et les cerises.

Très simples à préparer, ces délicieux mini-muffins sont un régal et se dévorent au petit déjeuner avec un bon café.

Mini-muffins au café et aux noix

Pour 12 mini-muffins
Préparation et cuisson : 50 min

- 140 g de beurre ramolli
- 140 g de sucre en poudre
- 3 gros œufs
- 60 g de cerneaux de noix
- 1 cuill. à café d'extrait de vanille
- 2 cuill. à soupe de café fort froid (expresso ou instantané)
- 175 g de farine
- 4 cuill. à café de levure

POUR LE GLAÇAGE

- 85 g de beurre ramolli
- 140 g de sucre glace
- 1 cuill. à soupe de café fort froid (expresso ou instantané)

POUR SERVIR

- 12 cerneaux de noix

1 Préchauffez le four à 180 °C (therm. 6). Disposez douze caissettes en papier dans les alvéoles d'un moule à muffins.

2 Dans un grand saladier, fouettez le beurre avec le sucre jusqu'à ce que le mélange blanchisse. Battez les œufs dans un bol, puis incorporez-les délicatement à la préparation. Hachez les noix et ajoutez-les au mélange avec l'extrait de vanille et le café. Dans un autre récipient, mélangez la farine avec la levure, puis incorporez-les à la préparation jusqu'à l'obtention d'une pâte. Répartissez-la dans les caissettes en papier, puis enfournez pour 20 minutes. Laissez refroidir sur une grille.

3 Pendant ce temps, préparez le glaçage : fouettez le beurre avec le sucre glace et le café. Lorsque les mini-muffins sont froids, nappez-les de glaçage. Laissez-le prendre, puis déposez sur le dessus un cerneau de noix.

Le mincemeat est une sorte de confiture de fruits secs, une spécialité typiquement anglaise, que vous trouverez au rayon «produits du monde» des grandes surfaces.

Cupcakes épicés aux fruits secs

Pour 12 cupcakes
Préparation et cuisson : 40 min

- 175 g de farine à levure incorporée
- 100 g de sucre roux
- 1 cuill. à café de quatre-épices (ou cannelle, poivre, muscade, clous de girofle à parts égales)
- 175 g de beurre ramolli
- 3 gros œufs
- 2 cuill. à soupe de lait
- 140 g de mincemeat

POUR SERVIR

- sucre glace

1 Préchauffez le four à 190 °C (therm. 6-7). Disposez douze caissettes en papier dans les alvéoles d'un moule à muffins. Dans un saladier, réunissez la farine, le sucre roux, les épices, le beurre, les œufs et le lait, puis mélangez pendant 2 ou 3 minutes à l'aide d'un batteur électrique ou d'une cuillère en bois.

2 Versez 1 cuillerée à soupe de pâte dans chaque caissette en papier, puis étalez par-dessus 1 cuillerée à café de mincemeat. Recouvrez de 1 cuillerée à soupe de pâte et lissez la surface.

3 Enfournez pour 18 minutes, puis saupoudrez de sucre glace. Servez chaud ou froid.

Cette recette réunit avec bonheur deux grands classiques, pour un succès assuré !

Cupcakes à la fraise façon beignet

Pour 12 cupcakes
Préparation et cuisson : 40 min

- 245 g de beurre ramolli
- 200 g de sucre blond
- 2 gros œufs + 1 jaune d'œuf
- 300 g de farine
- 10 cl de lait
- 1½ cuill. à soupe de levure
- 12 cuill. à café de confiture de fraises

POUR SERVIR
- 3 ou 4 morceaux de sucre

1 Préchauffez le four à 180 °C (therm. 6). Disposez douze caissettes en papier dans les alvéoles d'un moule à muffins. Dans un grand saladier, réunissez 200 g beurre, le sucre blond, les œufs entiers, le jaune d'œuf, la farine, le lait et la levure. Fouettez les ingrédients jusqu'à l'obtention d'une pâte lisse.

2 Remplissez aux deux tiers les caissettes de pâte, puis creusez un puits au milieu de chaque gâteau. Versez 1 cuillerée à café de confiture dans ces puits et recouvrez de 1 cuillerée à soupe de pâte. Enfournez pour 25 minutes et laissez refroidir les caissettes sur une grille.

3 Faites fondre le reste de beurre et badigeonnez-en les cupcakes. Écrasez les morceaux de sucre, saupoudrez-en les cupcakes, puis servez. Ces cupcakes se gardent 2 jours dans une boîte hermétique.

Des cupcakes moelleux et savoureux recouverts d'un glaçage gourmand... Irrésistible, tout simplement!

Cupcakes à la vanille et à l'orange

Pour 18 cupcakes
Préparation et cuisson : 40 min

- 175 g de beurre
- 175 g de sucre blond
- 3 gros œufs
- 200 g de farine à levure incorporée
- le zeste de 1 orange non traitée
- 1 cuill. à café d'extrait de vanille
- 4 cuill. à soupe de lait

POUR LE GLAÇAGE

- 175 g de sucre glace
- 1 blanc d'œuf
- 4 cuill. à soupe de jus d'orange

POUR DÉCORER

- bonbons gélifiés
- perles argentées et dorées en sucre

1 Préchauffez le four à 190 °C (therm. 6-7) et disposez dix-huit caissettes en papier dans les alvéoles d'un moule à muffins. Faites fondre le beurre, laissez-le refroidir 5 minutes et versez-le dans un saladier. Ajoutez le sucre, les œufs, la farine, le zeste d'orange, l'extrait de vanille et le lait, puis mélangez jusqu'à l'obtention d'une pâte lisse. Remplissez aux trois quarts les caissettes de pâte. Enfournez pour 18 minutes et laissez refroidir sur une grille.

2 Pendant ce temps, préparez le glaçage. Au-dessus d'un saladier résistant à la chaleur, tamisez le sucre glace, puis ajoutez le blanc d'œuf et le jus d'orange. Portez à frémissement une casserole d'eau, posez le saladier au-dessus et fouettez pendant 7 minutes à l'aide d'un batteur électrique, jusqu'à ce que le glaçage forme des pics. Hors du feu, continuez de battre pendant 2 minutes.

3 Nappez les cupcakes de glaçage et laissez-le prendre, puis parsemez de bonbons gélifiés et de perles en sucre. Laissez reposer avant de servir.

Le parfum des framboises forme un accord parfait avec celui de l'orange.

Cupcakes aux framboises et à l'orange

Pour 12 cupcakes
Préparation et cuisson : 40 min

- 200 g de farine à levure incorporée
- 1 cuill. à soupe de levure
- 200 g de beurre ramolli
- 4 gros œufs
- 200 g de sucre en poudre
- 3 cuill. à soupe de lait
- 50 g d'amandes en poudre
- le zeste de 1 orange non traitée
- 200 g de framboises

POUR LE GLAÇAGE

- 1 orange
- 60 g de sucre en poudre

1 Préchauffez le four à 180 °C (therm. 6). Disposez douze caissettes en papier dans les alvéoles d'un moule à muffins. Dans un saladier, réunissez tous les ingrédients à l'exception des framboises. Mélangez à l'aide d'un batteur électrique jusqu'à l'obtention d'une pâte lisse. Écrasez légèrement 150 g de framboises, puis incorporez-les à la préparation.

2 Répartissez la pâte dans les caissettes en les remplissant à moitié, puis enfournez pour 25 minutes.

3 Pendant ce temps, préparez le glaçage : pressez l'orange, puis délayez le sucre avec le jus obtenu. Sortez les cupcakes du four et laissez-les refroidir 5 minutes. Disposez-les sur une grille, puis arrosez-les de glaçage à l'orange et laissez reposer quelques minutes. Décorez avec le reste de framboises.

Réalisez cette recette tout au long de l'année,
avec des groseilles à maquereau fraîches ou surgelées.

Cupcakes au yaourt et aux groseilles

Pour 12 cupcakes
Préparation et cuisson : 40 min

- 175 g de beurre
- 225 g de farine
- 2 cuill. à café de levure
- 200 g de sucre blond
- 3 gros œufs
- 150 g de yaourt nature
- 4 cuill. à soupe de sirop de fleurs de sureau (dans les magasins bio)
- 1 pincée de sel

POUR LA MOUSSE

- 350 g de groseilles à maquereau
- 50 g de sucre blond
- 1 cuill. à soupe de sirop de fleurs de sureau
- 20 cl de crème fraîche

POUR SERVIR

- sucre glace

1 Préchauffez le four à 200 °C (therm. 6-7). Disposez douze caissettes en papier dans les alvéoles d'un moule à muffins. Dans une casserole, faites fondre le beurre, puis laissez-le refroidir. Dans un grand saladier, mélangez la farine avec la levure et le sucre. Réunissez le beurre fondu, les œufs, le yaourt, le sirop et le sel dans un autre récipient, puis battez le tout. Incorporez le mélange aux ingrédients secs jusqu'à l'obtention d'une pâte et répartissez-la dans les caissettes en papier. Enfournez pour 20 minutes, puis laissez refroidir sur une grille.

2 Préparez la mousse. Équeutez les groseilles à maquereau, puis faites-les cuire dans une casserole à feu doux avec le sucre pendant 10 minutes. Versez le sirop dans la casserole et ajoutez du sucre, si nécessaire. Laissez refroidir, puis incorporez la crème fraîche.

3 Découpez un cœur sur le dessus de chaque cupcake. Déposez un peu de mousse dans chaque creux, puis recouvrez du cœur en pâte et saupoudrez de sucre glace.

La polenta utilisée dans cette recette apporte à ces cupcakes une étonnante légèreté.

Cupcakes aux fraises et au citron

Pour 12 cupcakes
Préparation et cuisson : 35 min

- 140 g de beurre ramolli
- 140 g de sucre blond
- le zeste de 1/2 citron non traité
- 85 g de polenta
- 3 gros œufs
- 140 g de farine
- 1 cuill. à café de levure
- 140 g de fraises
- 1 cuill. à soupe de lait

POUR LE GLAÇAGE

- 3 fraises
- le jus de 1 citron
- 140 g de sucre glace

POUR SERVIR

- 6 fraises

1 Préchauffez le four à 180 °C (therm. 6). Disposez douze caissettes en papier dans les alvéoles d'un moule à muffins. Fouettez le beurre avec le sucre et le zeste de citron, jusqu'à ce que le mélange blanchisse, puis incorporez progressivement la polenta. Battez légèrement les œufs et versez-les dans la préparation en mélangeant. Tamisez la farine et la levure au-dessus du mélange, puis brassez l'ensemble. Équeutez les fraises, hachez-les et incorporez-les à la préparation avec le lait. Mélangez jusqu'à l'obtention d'une pâte, puis répartissez-la dans les caissettes en papier. Enfournez pour 20 minutes, laissez refroidir sur une grille, puis démoulez les cupcakes.

2 Préparez le glaçage. Écrasez 3 fraises avec 1 cuillerée à café de jus de citron, puis passez le tout au tamis. Incorporez le sucre glace et ajoutez progressivement du jus de citron, jusqu'à ce que le glaçage épaississe, puis plongez-y la partie supérieure des gâteaux.

3 Coupez les fraises restantes en deux, déposez une moitié sur chaque cupcake, laissez prendre le glaçage, puis servez.

Cette recette est idéale pour utiliser un reste de crème anglaise. Attention, le beurre doit être mou, mais pas fondu !

Cupcakes à la crème anglaise

Pour 12 cupcakes
Préparation et cuisson : 30 min

- 100 g de poudre pour crème pâtissière
- 200 g de beurre ramolli
- 2 gros œufs
- 4 cuill. à soupe de lait
- 140 g de sucre en poudre
- 100 g de farine à levure incorporée

POUR LE GLAÇAGE

- 140 g de sucre glace
- 3 cuill. à soupe d'eau

POUR SERVIR

- vermicelles en sucre

1 Préchauffez le four à 180 °C (therm. 6). Disposez douze caissettes en papier dans les alvéoles d'un moule à muffins. Dans un saladier, fouettez la poudre pour crème pâtissière avec le beurre, les œufs et le lait. Ajoutez le sucre, puis tamisez la farine et incorporez-la au mélange. Répartissez la préparation dans les caissettes en papier. Enfournez pour 20 minutes, puis laissez refroidir complètement.

2 Préparez le glaçage : délayez le sucre glace avec l'eau jusqu'à l'obtention d'une pâte épaisse. Glacez les cupcakes, saupoudrez-les de vermicelles en sucre et servez.

Vous pouvez préparer ces cupcakes 2 jours à l'avance et les conserver dans une boîte hermétique. Disposez alors les marshmallows au dernier moment.

Cupcakes au chocolat et aux marshmallows

Pour 12 cupcakes
Préparation et cuisson : 30 min

- 140 g de sucre roux
- 100 g de farine
- 50 g de cacao en poudre
- 1½ cuill. à café de levure
- 3 gros œufs
- 15 cl d'huile végétale
- 3 cuill. à soupe de lait
- 50 g de pépites de chocolat au lait
- 30 g de mini-marshmallows

1 Préchauffez le four à 180 °C (therm. 6). Disposez douze caissettes en papier dans les alvéoles d'un moule à muffins. Dans un grand saladier, mélangez le sucre roux avec la farine, le cacao et la levure. Fouettez les œufs avec l'huile et le lait dans un bol, puis incorporez ce mélange aux ingrédients secs. Ajoutez les pépites de chocolat et brassez bien le tout.

2 Versez la pâte dans les caissettes en papier. Enfournez pour 20 minutes, puis laissez refroidir.

3 Parsemez les cupcakes de mini-marshmallows. Réglez le gril du four à température moyenne, et enfournez les cupcakes pour 30 secondes, en surveillant la cuisson. Quand la guimauve est un peu grillée, sortez les cupcakes du four et servez immédiatement.

Les cupcakes ne sont pas réservés au goûter!
En voilà une version élégante, à proposer en dessert à vos invités.
En plus, vous pouvez même les congeler!

Cupcakes au yaourt et aux amandes

Pour 12 cupcakes
Préparation et cuisson : 35 min

- 3 gros œufs
- 15 cl de yaourt nature
- 1 cuill. à café d'extrait de vanille
- 175 g de sucre blond
- 140 g de farine
- 2 cuill. à café de levure
- 100 g d'amandes en poudre
- 175 g de beurre
- 1 pincée de sel

POUR LE GLAÇAGE
- 100 g de chocolat blanc
- 140 g de sucre glace
- 140 g de beurre

POUR SERVIR
- 36 petites roses et feuilles en sucre
- 2,5 m de ruban rose étroit
- champagne

1 Préchauffez le four à 190 °C (therm. 6-7). Disposez douze caissettes en papier dans les alvéoles d'un moule à muffins. Battez les œufs dans un bol, puis incorporez le yaourt et l'extrait de vanille. Dans un saladier, réunissez le sucre, la farine, la levure, les amandes et le sel, puis creusez un puits au centre du mélange.

2 Faites fondre le beurre, versez-le dans le puits avec le contenu du bol et mélangez rapidement le tout. Répartissez la préparation dans les caissettes en papier, puis enfournez pour 20 minutes. Laissez reposer 2 minutes, puis transférez les cupcakes sur une grille.

3 Préparez le glaçage. Faites fondre le chocolat au micro-ondes, en remuant à mi-cuisson, et laissez-le légèrement refroidir. Fouettez le sucre glace avec le beurre jusqu'à ce que le mélange soit crémeux, puis incorporez le chocolat fondu. Nappez les cupcakes de glaçage et laissez reposer quelques minutes. Décorez les cupcakes de roses en sucre et nouez un ruban autour de chaque caissette. Servez ces cupcakes au dessert, avec du champagne.

Ces savoureux cupcakes peuvent être dégustés à Noël :
pour les enfants, vous pouvez remplacer l'alcool par du jus d'orange.

Cupcakes aux fruits secs et aux amandes

Pour 12 cupcakes
Préparation et cuisson : 1 h30
Réfrigération : 30 min

- 175 g de beurre
- 200 g de sucre roux
- 700 g de fruits secs mélangés
- 50 g de cerises confites
- 2 cuill. à café de gingembre râpé
- 10 cl de rhum brun ou de cognac
- le zeste et le jus de 1 orange non traitée
- 85 g de cerneaux de noix de pécan
- 3 gros œufs
- 85 g d'amandes en poudre
- 200 g de farine tamisée
- 1/2 cuill. à café de levure
- 1 cuill. à café de quatre-épices (ou cannelle, poivre, muscade, clous de girofle à parts égales)
- 1 cuill. à café de cannelle
- sucre glace
- 500 g de pâte d'amande
- 4 cuill. à soupe de confiture d'abricot

POUR LE GLAÇAGE
- 500 g de sucre glace

POUR SERVIR
- dragées et décors en sucre

1 Coupez le beurre en morceaux. Mettez-les dans une casserole avec le sucre, les fruits secs, les cerises confites, le gingembre, le rhum, le zeste et le jus de l'orange. Portez le tout à petite ébullition en remuant souvent, puis laissez frémir pendant 10 minutes, en remuant constamment. Réservez au frais pendant 30 minutes.

2 Préchauffez le four à 150 °C (therm. 5). Disposez douze caissettes en papier dans les alvéoles d'un moule à muffins. Hachez les noix de pécan et battez les œufs, puis incorporez-les à la préparation avec les amandes. Ajoutez la farine, la levure et les épices, mélangez, puis répartissez la pâte dans les caissettes et lissez la surface. Enfournez pour 40 minutes.

3 Saupoudrez le plan de travail de sucre glace. Étalez la pâte d'amande et découpez douze cercles de 6 cm de diamètre. Faites chauffer la confiture, badigeonnez-en les gâteaux refroidis, puis couvrez-les d'un cercle en pâte d'amande.

4 Délayez le sucre glace avec un peu d'eau. Nappez les cupcakes de glaçage et laissez prendre. Décorez avec de dragées et des motifs en sucre.

Servez ces muffins tièdes afin que le chocolat soit encore fondant à l'intérieur.

Muffins aux trois chocolats

Pour 11 muffins
Préparation et cuisson : 45 min

- 85 g de beurre
- 85 g de chocolat noir
- 85 g de chocolat blanc
- 100 g de chocolat au lait
- 250 g de farine
- 25 g de cacao en poudre
- 2 cuill. à café de levure
- 1/2 cuill. à café de bicarbonate de soude
- 2 gros œufs
- 30 cl de crème aigre (ou crème fraîche additionnée de quelques gouttes de jus de citron)
- 85 g de sucre roux

1 Préchauffez le four à 180 °C (therm. 6). Beurrez 11 alvéoles d'un moule à muffins. Faites fondre le beurre à feu doux dans une casserole. Cassez les trois chocolats en gros morceaux et mélangez-les dans un grand saladier avec la farine, le cacao, la levure et le bicarbonate de soude. Dans un autre récipient, battez légèrement les œufs, puis incorporez la crème aigre, le sucre et le beurre fondu.

2 Versez le contenu du second récipient dans le saladier et mélangez jusqu'à l'obtention d'une pâte ferme, sans trop la travailler. Répartissez-la dans les moules, puis enfournez pour 20 minutes. Laissez tiédir pendant 15 minutes, puis démoulez délicatement et servez chaud.

Si vous le souhaitez, ajoutez 85 g de raisins secs ou de cerises confites en même temps que le sucre.

Scones au yaourt et à la vanille

Pour 8 scones

Préparation et cuisson : 25 min

- 85 g de beurre
- 350 g de farine
- 1/2 cuill. à café de sel
- 1½ cuill. à soupe de levure
- 60 g de sucre blond
- 150 g de yaourt nature entier
- 5 cuill. à soupe de lait entier
- 1 cuill. à café d'extrait de vanille
- 1 œuf

POUR SERVIR

- crème fouettée
- confiture de fraises

1 Préchauffez le four à 220 °C (therm. 7-8) et enfournez une plaque de cuisson. Coupez le beurre en dés. Dans le bol d'un robot, réunissez la farine, le sel et la levure. Mixez, puis incorporez successivement le beurre et le sucre. Transférez le mélange dans un grand saladier et creusez un puits au centre.

2 Dans une casserole, faites chauffer à feu doux le yaourt avec 4 cuillerées à soupe de lait et l'extrait de vanille. Versez la préparation dans le saladier et mélangez rapidement à l'aide d'un couteau, jusqu'à l'obtention d'une pâte homogène.

3 Farinez un plan de travail, pétrissez la pâte et abaissez-la à 4 cm d'épaisseur. Découpez quatre cercles de 7 cm de diamètre. Pétrissez les chutes de pâte, puis répétez l'opération. Battez l'œuf avec le reste du lait et badigeonnez-en les cercles de pâte. Farinez la plaque de cuisson, transférez-y les scones, puis enfournez pour 12 minutes. Servez avec de la crème fouettée et de la confiture de fraises.

On ne présente plus le mariage des pêches et des amandes…
Le voici en version « light » dans ces muffins !

Muffins aux pêches et aux amandes

Pour 6 muffins
Préparation et cuisson : 45 min

- 3 gros œufs
- 100 g de sucre blond
- quelques gouttes d'extrait d'amandes amères
- 25 g de beurre
- 100 g de farine à levure incorporée
- 25 g d'amandes en poudre
- 1 pincée de sel
- 2 pêches
- 2 cuill. à soupe de confiture de pêches ou d'abricots
- 1 cuill. à soupe d'amandes effilées

POUR SERVIR
- crème fraîche allégée

1 Préchauffez le four à 220 °C (therm. 7-8). Dans un grand saladier, fouettez les œufs avec le sucre et l'extrait d'amandes pendant 1 minute, jusqu'à l'obtention d'une mousse. Faites fondre le beurre, puis versez-le dans la préparation. Incorporez la farine, les amandes et le sel.

2 Coupez les pêches en deux, ôtez leur noyau et tranchez leur chair. Répartissez la pâte dans six moules à muffins, puis ajoutez un peu de confiture et quelques tranches de pêche. Parsemez d'amandes effilées et saupoudrez de sucre blond. Enfournez pour 25 minutes. Servez les muffins chauds avec de la crème fraîche ou laissez-les refroidir.

L'emploi de carotte râpée et d'ananas permet de réduire la teneur en sucre nécessaire dans ces petits gâteaux.

Muffins à l'ananas et à la noix de coco

Pour 12 muffins

Préparation et cuisson : 40 min

- 425 g d'ananas en conserve
- 200 g de farine à levure incorporée
- 1 cuill. à café de bicarbonate de soude
- 85 g de sucre blond
- 50 g de noix de coco râpée
- 85 g de beurre
- 2 gros œufs
- 150 g de yaourt nature
- 175 g de carottes

POUR LE GLAÇAGE

- 50 g de crème de coco
- 100 g de sucre glace
- 50 g de noix de coco râpée

POUR SERVIR

- 500 g de sucre glace
- eau
- colorant alimentaire orange
- quelques bâtons d'angélique

1 Préchauffez le four à 200 °C (therm. 6-7). Disposez douze caissettes en papier dans les alvéoles d'un moule à muffins. Égouttez l'ananas en réservant le jus, puis écrasez la chair.

2 Dans un grand saladier, réunissez la farine, le bicarbonate de soude, le sucre blond et la noix de coco. Mélangez bien. Faites fondre le beurre, puis fouettez-le dans un bol avec les œufs et le yaourt. Râpez les carottes et incorporez-les à la préparation, puis ajoutez le mélange à base de yaourt et l'ananas. Remuez jusqu'à l'obtention d'une pâte et répartissez-la dans les caissettes. Enfournez pour 18 minutes, puis laissez complètement refroidir.

3 Préparez le glaçage. Délayez la crème de coco avec 5 cuillerées à soupe du jus d'ananas réservé, puis incorporez le sucre glace. Démoulez les muffins sur une grille, arrosez-les de glaçage et roulez-les dans la noix de coco. Laissez reposer quelques minutes. Délayez le sucre glace avec un peu d'eau et incorporez un peu de colorant alimentaire jusqu'à obtention d'une pâte orange. Dessinez une carotte sur chaque gâteau et ajoutez des morceaux d'angélique en guise de fanes.

Délicieux au petit déjeuner, ces muffins ne contiennent pas de gluten et sont à la fois légers et moelleux.

Muffins aux dattes

Pour 6 muffins

Préparation et cuisson : 40 min

- 50 g de beurre
- 50 g de sucre roux
- 2 œufs
- 20 cl de babeurre
- 100 g de polenta à cuisson rapide ou de farine de maïs fine
- 100 g de farine de riz
- 1 cuill. à café bombée de levure sans gluten
- 50 g de dattes dénoyautées

1 Préchauffez le four à 200 °C (therm. 6-7). Beurrez six alvéoles d'un moule à muffins. Dans un saladier, fouettez le beurre avec le sucre jusqu'à ce que le mélange soit crémeux. Incorporez les œufs un par un et le babeurre.

2 Dans un autre récipient, mélangez la polenta avec la farine de riz et la levure. Incorporez l'ensemble à la préparation dans le saladier. Hachez les dattes, puis ajoutez-les à la pâte en mélangeant soigneusement.

3 Versez la préparation dans les moules. Saupoudrez d'un peu de sucre roux et enfournez pour 30 minutes.

Réduisez légèrement le temps de cuisson
si vous voulez que ces muffins aient des cœurs fondants.

Muffins moelleux au chocolat

Pour 10 muffins
Préparation et cuisson : 45 min

- 250 g de farine
- 1/2 cuill. à café de bicarbonate de soude
- 2 cuill. à café de levure
- 100 g de sucre en poudre
- 100 g de beurre
- 200 g de chocolat noir
- 25 cl de babeurre
- 2 œufs

POUR SERVIR
- sucre glace
- cœurs en chocolat

1 Préchauffez le four à 200 °C (therm. 6-7). Beurrez et farinez dix petits moules en forme de cœur.

2 Dans un grand saladier, réunissez la farine, le bicarbonate de soude, la levure et le sucre en poudre, puis mélangez bien le tout. Faites fondre le beurre avec le chocolat dans une casserole à feu doux. Hors du feu, incorporez le babeurre et les œufs à l'aide d'un fouet. Versez la préparation dans le saladier et brassez l'ensemble, sans trop travailler la pâte. Répartissez-la dans les moules, puis enfournez pour 25 minutes.

3 Laissez reposer hors du four pendant 10 minutes, puis démoulez les muffins à l'aide d'une spatule. Saupoudrez-les de sucre glace et décorez-les avec des cœurs en chocolat.

Le sucre demerara est un sucre granulé enrobé de mélasse qui a la particularité de se transformer en caramel quand il est placé au frais. Vous le trouverez dans les épiceries fines.

Scones aux pommes et aux épices

Pour 10 scones
Préparation et cuisson : 30 min

- 60 g de beurre ramolli
- 1 cuill. à café de cannelle en poudre
- 1 cuill. à café de noix de muscade râpée
- 45 g de sucre demerara (en épicerie fine)
- 1 pomme
- 85 g de raisins secs

POUR LA PÂTE

- 350 g de farine
- 1/2 cuill. à café de sel
- 1½ cuill. à soupe de levure
- 85 g de beurre
- 60 g de sucre blond
- 150 g de yaourt entier
- 4 cuill. à soupe de lait entier
- 1 cuill. à café d'extrait de vanille

POUR LE GLAÇAGE

- 1 œuf
- 1 cuill. à soupe de lait

1 Préchauffez le four à 220 °C (therm. 7-8) et enfournez une plaque de cuisson. Dans un saladier, fouettez le beurre avec 1/2 cuillerée à café de chaque épice et 2 cuillerées à soupe de sucre. Pelez et hachez la pomme, puis incorporez-la au mélange avec les raisins secs.

2 Préparez la pâte. Dans le bol d'un robot, mixez le reste des épices avec la farine, le sel et la levure. Coupez le beurre en dés et incorporez-les à la préparation en mixant, puis ajoutez le sucre. Transvasez le mélange dans un grand saladier et creusez un puits au centre.

3 Dans une casserole, mélangez à feu doux le yaourt avec le lait et l'extrait de vanille, puis versez le tout dans le puits et mélangez. Farinez le plan de travail, étalez la pâte en un rectangle de 40 x 30 cm. Garnissez de la préparation à la pomme, roulez la pâte, puis découpez-la en dix triangles.

4 Préparez le glaçage. Fouettez l'œuf avec le lait et badigeonnez-en les scones. Saupoudrez du sucre demerara restant. Déposez sur une plaque de cuisson farinée et enfournez pour 14 minutes.

Le streusel est une spécialité alsacienne qui se parsème sur les gâteaux, les tartes ou les brioches. Il s'agit d'une garniture croustillante assimilable à une pâte à crumble.

Muffins à la banane et au streusel

Pour 6 muffins

Préparation et cuisson : 45 min

- 1 cuill. à soupe de graines de lin doré (dans les magasins bio)
- 15 g de beurre ramolli
- 25 g de farine à levure incorporée
- 40 g de sucre demerara
- 1/2 cuill. à café de cannelle en poudre
- 2 cuill. à café d'eau froide

POUR LE STREUSEL

- 100 g de farine complète
- 25 g de farine de soja
- 45 g de sucre roux
- 2 cuill. à café de levure
- 2 bananes mûres
- 1 gros œuf
- 3 cuill. à soupe de lait de soja
- 3 cuill. à soupe d'huile de tournesol

1 Préchauffez le four à 200 °C (therm. 6-7). Disposez six caissettes en papier dans les alvéoles d'un moule à muffins, puis préparez le streusel. Mixez les graines de lin dans le bol d'un robot ou mettez-les dans un sac en plastique et écrasez-les à l'aide d'un rouleau à pâtisserie. Dans un saladier, mélangez le beurre avec la farine, puis incorporez les graines de lin, le sucre demerara, la cannelle et l'eau froide.

2 Préparez les muffins. Dans un saladier, mélangez les deux farines avec le sucre roux et la levure, puis creusez un puits au centre. Dans un autre récipient, écrasez les bananes et battez-les avec l'œuf, le lait de soja et l'huile de tournesol à l'aide d'un fouet. Versez le tout dans le puits et mélangez, sans trop travailler la pâte.

3 Répartissez la préparation dans les caissettes en papier en les remplissant aux deux tiers. Saupoudrez de streusel, puis enfournez pour 25 minutes.

La « clotted cream » est une sorte de crème très épaisse, typique du Sud-Ouest de l'Angleterre, qui accompagne merveilleusement bien les scones à l'heure du thé.

Scones à la framboise

Pour 6 scones
Préparation et cuisson : 35 min

- 225 g de farine
- 2 ½ cuill. à café de levure
- 50 g de beurre
- 1 cuill. à soupe bombée de sucre en poudre
- 20 cl de babeurre
- 100 g de framboises

POUR SERVIR

- *clotted cream* (dans les épiceries fines) ou beurre

1 Préchauffez le four à 220 °C (therm. 7-8) et beurrez une plaque de cuisson. Tamisez la farine et la levure au-dessus d'un saladier. Coupez le beurre en dés et ajoutez-les dans le saladier avec le sucre, puis malaxez le tout du bout des doigts jusqu'à l'obtention d'une pâte sableuse.

2 Creusez un puits au centre du mélange et incorporez progressivement le babeurre, jusqu'à ce que la pâte soit souple et non collante. Avec les doigts, enfoncez délicatement les framboises dans la préparation : en se brisant, elles vont la colorer.

3 Divisez la pâte en six parts égales et déposez-les sur la plaque de cuisson. Enfournez pour 14 minutes, puis laissez refroidir sur une grille. Pour déguster, ouvrez un scone et tartinez-le de clotted cream.

Cette recette très simple permet de réussir à coup sûr des muffins aux myrtilles légers et bien gonflés.

Muffins aux myrtilles et à la vanille

Pour 12 muffins
Préparation et cuisson : 30 min

- 140 g de sucre en poudre
- 250 g de farine à levure incorporée
- 1 cuill. à café de bicarbonate de soude
- 85 g de beurre
- 2 gros œufs
- 20 cl de lait
- 1 cuill. à café d'extrait de vanille
- 150 g de myrtilles

1 Préchauffez le four à 200 °C (therm. 6-7). Disposez douze caissettes en papier dans les alvéoles d'un moule à muffins. Dans un saladier, mélangez ensemble le sucre, la farine et le bicarbonate de soude. Faites fondre le beurre, puis versez-le dans un récipient et battez-le avec les œufs, le lait et l'extrait de vanille à l'aide d'un fouet. Transvasez la préparation dans le saladier et mélangez jusqu'à l'obtention d'une pâte homogène, sans trop la travailler. Incorporez les myrtilles.

2 Versez la pâte dans les caissettes en papier. Enfournez pour 18 minutes, puis démoulez les muffins et laissez-les refroidir sur une grille.

La Worcestershire sauce est un condiment à la saveur aigre-douce et légèrement piquante, typiquement anglais, en vente au rayon «produit du monde» des grandes surfaces.

Muffins au fromage et au yaourt

Pour 12 muffins

Préparation et cuisson : 40 min

- 275 g de farine
- 1/2 cuill. à café de farine de moutarde (dans les magasins bio)
- 1½ cuill. à café de levure
- 1/2 cuill. à café de bicarbonate de soude
- 1 pincée de sel
- 100 g de cheddar ou de gruyère râpé
- 6 cuill. à soupe d'huile végétale
- 150 g de yaourt à la grecque
- 15 cl de lait
- 1 gros œuf
- 1 cuill. à soupe de Worcestershire sauce

1 Préchauffez le four à 200 °C (therm. 6-7). Disposez douze caissettes en papier dans les alvéoles d'un moule à muffins. Dans un saladier, mélangez les deux farines avec la levure, le bicarbonate de soude et le sel.

2 Râpez la moitié du fromage et coupez l'autre en dés, puis réunissez le tout dans un autre saladier. Incorporez l'huile, le yaourt, le lait, l'œuf et la Worcestershire sauce. Réunissez les contenus des deux saladiers et mélangez bien le tout. Répartissez la préparation dans les caissettes en papier, puis enfournez pour 25 minutes. Sortez les muffins du four, laissez-les refroidir sur une grille, puis servez-les tièdes ou froids.

Dégustez ces scones moelleux généreusement tartinés de « lemon curd », une crème à base de citron.

Scones à la ricotta et au citron

Pour 6 scones
Préparation et cuisson : 30 min

- 175 g de ricotta
- le zeste de 1 orange non traitée
- 100 g de sucre blond
- 200 g de farine à levure incorporée
- 50 g de beurre
- 1 à 2 cuill. à soupe de lait
- 1 cuill. à soupe de sucre demerara

POUR SERVIR

- crème fraîche ou beurre
- *lemon curd* (crème anglaise à base de citron) que vous trouverez au rayon « produits du monde » des grandes surfaces

1 Préchauffez le four à 200 °C (therm. 6-7) et graissez une plaque de cuisson. Dans un grand bol, mélangez la ricotta avec le zeste de l'orange et la moitié du sucre. Tamisez la farine au-dessus d'un saladier et mélangez-la avec le reste du sucre. Coupez le beurre en dés, puis ajoutez-les dans le saladier en malaxant le tout du bout des doigts, jusqu'à l'obtention d'une pâte sableuse.

2 Incorporez le contenu du bol à la pâte, en ajoutant le lait pour la rendre souple, mais non collante. Transférez-la sur un plan de travail fariné et pétrissez-la brièvement. Étalez la pâte en formant un cercle de 4 cm d'épaisseur, puis déposez-le sur la plaque de cuisson et coupez-le en six parts.

3 Badigeonnez de lait les morceaux de pâte, saupoudrez-les d'un peu de farine et de sucre demerara, puis enfournez pour 25 minutes. Laissez refroidir sur une grille. Servez chaud, avec de la crème fraîche et du lemon curd.

La purée de carottes surgelée est délicieuse
et pratique à utiliser car elle est fractionnable.

Muffins à la carotte et à l'ananas

Pour 12 muffins
Préparation et cuisson : 35 min

- 140 g de farine à levure incorporée
- 85 g de farine complète
- 1/2 cuill. à café de bicarbonate de soude
- 2 cuill. à café de cannelle en poudre
- 1 pincée de sel
- 3 tranches d'ananas en conserve
- 15 cl d'huile de tournesol
- 100 g de sucre blond
- 200 g de purée de carottes
- 1 gros œuf
- 1 cuill. à café d'extrait de vanille
- 50 g de graines de tournesol

1 Préchauffez le four à 200 °C (therm. 6-7). Coupez douze carrés de papier sulfurisé de 10 x 10 cm et tapissez-en douze alvéoles d'un moule à muffins. Tamisez les deux farines au-dessus d'un saladier, en réservant 2 cuillerées à soupe des grains retenus par la passoire. Ajoutez le bicarbonate de soude, la cannelle et le sel.

2 Égouttez l'ananas en réservant 2 cuillerées à soupe du jus et coupez le fruit en dés. Transférez-les dans un autre récipient avec l'huile, le sucre, la purée de carotte, le jus d'ananas, l'œuf et l'extrait de vanille. Battez le tout au fouet, puis incorporez le mélange sec à la préparation. Répartissez la pâte dans les moules et parsemez de grumeaux de farine et de graines de tournesol. Enfournez pour 25 minutes et laissez refroidir.

Découvrez l'alliance insolite de la framboise et du café dans cette recette originale.

Muffins aux framboises et au café

Pour 12 muffins

Préparation et cuisson : 45 min

- 2 cuill. à soupe de café moulu
- 2 cuill. à soupe d'eau bouillante
- 100 g de beurre
- 1 cuill. à soupe de lait
- 50 g de pignons de pin
- 400 g de farine à levure incorporée
- 175 g de sucre blond
- 1 cuill. à café de bicarbonate de soude
- 2 gros œufs
- 30 cl de babeurre ou de crème aigre (ou crème fraîche additionnée de quelques gouttes de jus de citron)
- 200 à 250 g de framboises fraîches

POUR SERVIR

- café

1 Délayez le café avec l'eau bouillante et réservez-le. Préchauffez le four à 200 °C (therm. 6-7). Coupez douze carrés de papier sulfurisé de 10 x 10 cm. Faites fondre le beurre, badigeonnez-en douze alvéoles d'un moule à muffins et laissez le reste refroidir. Disposez les carrés de papier dans les alvéoles. Passez le café et mélangez-le avec le lait.

2 Faites griller la moitié des pignons de pin à sec dans une poêle antiadhésive, puis mélangez-les dans un grand saladier avec la farine, le sucre et le bicarbonate de soude. Dans un autre récipient, battez les œufs avec le babeurre, le reste du beurre et le café au lait. Incorporez rapidement le mélange d'ingrédients secs, ajoutez les framboises en brassant délicatement le tout, puis répartissez la préparation dans les moules.

3 Parsemez du reste des pignons de pin et enfournez pour 25 minutes. Attendez quelques minutes, puis démoulez et laissez refroidir sur une grille. Servez avec une tasse de café.

Ces scones salés sont aussi bons à déguster
au petit déjeuner qu'au goûter.

Scones à la feta et aux tomates

Pour 8 scones
Préparation et cuisson : 40 min

- 350 g de farine
- 2 cuill. à soupe de levure
- 1 pincée de sel
- 50 g de beurre
- 1 cuill. à soupe d'huile d'olive
- 4 tomates séchées
- 100 g de feta
- 10 olives noires dénoyautées
- 30 cl de lait entier
- 1 œuf

POUR SERVIR
- beurre

1 Préchauffez le four à 220 °C (therm. 7-8) et beurrez une plaque de cuisson. Dans un grand saladier, réunissez la farine, la levure et le sel, puis mélangez bien le tout. Coupez le beurre en morceaux et ajoutez-les dans le saladier avec l'huile. Malaxez du bout des doigts jusqu'à l'obtention d'une pâte sableuse.

2 Hachez grossièrement les tomates, coupez la feta en dés et les olives en deux, ajoutez-les à la préparation et creusez un puits au centre. Versez le lait dans le puits et mélangez sans trop travailler la pâte, jusqu'à ce qu'elle soit souple et collante.

3 Farinez vos mains et le plan de travail, puis étalez la pâte sur 3 ou 4 cm d'épaisseur en formant un cercle. Découpez-la en huit parts et disposez-les sur la plaque de cuisson, en les espaçant bien. Battez l'œuf, badigeonnez-en les scones et enfournez pour 20 minutes. Transférez les scones sur une grille et laissez-les refroidir sous un torchon pour qu'ils restent tendres. Servez chauds, avec un peu de beurre.

Servez ces muffins chauds, tant que le caramel est fondant, ou laissez-les refroidir et réchauffez-les une vingtaine de secondes au micro-ondes au dernier moment.

Muffins aux poires et au caramel

Pour 12 muffins

Préparation et cuisson : 45 min

- 300 g de farine
- 2½ cuill. à café de levure
- 2 cuill. à café de cannelle en poudre
- 1 pincée de sel
- 85 g de sucre blond
- 100 g de beurre
- 2 gros œufs
- 25 cl de lait
- 2 poires mûres
- 100 g de caramels mous
- 25 g d'amandes effilées

1 Préchauffez le four à 200 °C (therm. 6-7). Disposez douze caissettes en papier dans les alvéoles d'un moule à muffins. Dans un saladier, mélangez ensemble la farine, la levure, la cannelle, le sel et le sucre. Faites fondre le beurre, puis battez-le dans un autre récipient avec les œufs et le lait à l'aide d'un fouet. Pelez les poires, épépinez-les, puis détaillez-les. Coupez les caramels en morceaux.

2 Versez la préparation liquide dans le saladier. Incorporez les poires et le tiers des caramels en mélangeant brièvement, jusqu'à l'obtention d'une pâte marbrée. Répartissez-la dans les caissettes en papier. Parsemez des morceaux de caramel restants et d'amandes effilées, puis enfournez pour 30 minutes. Démoulez et laissez refroidir sur une grille.

Ces muffins auront un succès fou auprès des enfants : cela tombe bien, ils doivent être mangés le jour même !

Muffins aux cerises et à la noix de coco

Pour 9 muffins
Préparation et cuisson : 45 min

- 100 g de beurre ramolli
- 100 g de sucre blond
- 2 gros œufs
- 175 g de farine à levure incorporée
- 5 cuill. à soupe de lait
- 1/2 cuill. à café d'extrait de vanille
- 2 cuill. à soupe de noix de coco râpée
- 100 g de cerises confites

POUR SERVIR
- 85 g de confiture de framboises épépinées
- 50 g de cerises confites
- 2 cuill. à soupe de noix de coco râpée

1 Préchauffez le four à 180 °C (therm. 6). Disposez neuf caissettes en papier dans les alvéoles d'un moule à muffins. Fouettez le beurre avec le sucre jusqu'à ce que le mélange blanchisse. Battez les œufs dans un bol, puis incorporez-les progressivement à la préparation, jusqu'à l'obtention d'une crème légère. Ajoutez la farine, le lait, l'extrait de vanille et la noix de coco. Mélangez jusqu'à ce que la pâte soit souple. Coupez les cerises en quatre et incorporez-les à la préparation.

2 Répartissez la pâte dans les caissettes et enfournez pour 20 minutes. Démoulez les muffins, puis laissez-les légèrement refroidir sur une grille.

3 Dans une petite casserole, faites fondre à feu doux la confiture en remuant constamment, jusqu'à ce qu'elle soit lisse. Badigeonnez-en les muffins chauds. Coupez les cerises en quatre et disposez-les sur les muffins. Faites griller la noix de coco à sec dans une poêle antiadhésive pendant quelques secondes, puis saupoudrez-en les muffins.

Dégustez ces scones au fromage coupés en deux
et beurrés avec du jambon, par exemple.

Scones au fromage et aux flocons d'avoine

Pour 12 à 15 scones
Préparation et cuisson : 25 min

- 200 g de farine à levure incorporée
- 50 g de beurre ramolli
- 25 g de flocons d'avoine
- 100 g de cheddar ou de gruyère râpé
- 15 cl de lait

1 Préchauffez le four à 220 °C (therm. 7-8). Dans un grand saladier, malaxez du bout des doigts la farine avec le beurre. Ajoutez les flocons d'avoine, 85 g de fromage râpé et le lait, puis mélangez jusqu'à l'obtention d'une pâte souple, en ajoutant du lait si la pâte est trop sèche.

2 Farinez légèrement le plan de travail et abaissez la pâte à 2 cm d'épaisseur. Découpez des disques à l'aide d'un emporte-pièce de 4 cm de diamètre – sans le faire tourner sur lui-même pour que les scones gonflent uniformément. Pétrissez les chutes de pâte et répétez l'opération.

3 Transférez les scones sur une plaque de cuisson antiadhésive. Saupoudrez du reste de fromage râpé et enfournez pour 15 minutes. Laissez refroidir sur une grille, puis servez.

Profitez des dernières mûres de l'été pour préparer cette délicieuse recette ou bien utilisez des mûres surgelées.

Scones aux mûres et au yaourt

Pour 6 scones
Préparation et cuisson : 35 min

- 50 g de beurre
- 225 g de farine à levure incorporée
- 25 g de sucre blond
- 100 g de mûres
- 150 g de yaourt nature entier
- 4 cuill. à soupe de lait

POUR SERVIR
- confiture de mûres
- *clotted cream* (dans les épiceries fines) ou beurre

1 Préchauffez le four à 220 °C (therm. 7-8) et tapissez une plaque de cuisson de papier sulfurisé légèrement beurré. Coupez le beurre en morceaux et malaxez-les du bout des doigts avec la farine, jusqu'à l'obtention d'une pâte sableuse. Incorporez délicatement le sucre et les mûres, puis creusez un puits au centre du mélange.

2 Dans un bol, brassez le yaourt avec le lait et versez le tout dans le puits. Travaillez rapidement la pâte à l'aide d'un couteau à lame ronde, jusqu'à ce qu'elle soit souple. Farinez vos mains et donnez à la pâte la forme d'une boule, sans la pétrir, pour ne pas écraser les mûres.

3 Transférez la pâte sur un plan de travail fariné, puis tapotez-la doucement pour former un cercle de 18 cm de diamètre et de 2 cm d'épaisseur. Déposez la pâte sur la plaque de cuisson. Délimitez six parts, saupoudrez d'un peu de farine et enfournez pour 20 minutes. Séparez les scones tant qu'ils sont chauds. Servez avec de la confiture de mûres et de la clotted cream.

Si vous aviez congelé la pâte à cookies, prolongez simplement la cuisson de quelques minutes.

Cookies à la cerise et aux deux chocolats

Pour 20 cookies
Préparation et cuisson : 30 min

- 85 g de cerises confites
- 50 g de chocolat noir à 70 % de cacao
- 50 g de chocolat blanc
- 200 g de beurre ramolli
- 85 g de sucre roux
- 85 g de sucre blond
- 1 gros œuf
- 225 g de farine à levure incorporée
- 1/2 cuill. à café de sel

1 Préchauffez le four à 170 °C (therm. 5-6). Tapissez une plaque de cuisson de papier sulfurisé. Hachez grossièrement les cerises et les deux chocolats. Fouettez le beurre avec le sucre roux, le sucre blond et l'œuf jusqu'à ce que le mélange soit lisse, puis incorporez la farine, les cerises, le chocolat et le sel. À l'aide d'une cuillère, déposez sur la plaque de cuisson vingt cercles de pâte bien espacés. Vous pouvez également congeler la pâte pour un usage ultérieur.

2 Enfournez et laissez cuire de 12 à 14 minutes, jusqu'à ce que les biscuits soient légèrement dorés et tendres au milieu. Laissez reposer 5 minutes, puis décollez les biscuits et laissez-les refroidir complètement sur une grille.

Ces biscuits sont fourrés au lemon curd.
Si vous manquez de temps, passez-vous de lemon curd
et faites de simples sablés au citron.

Sablés aux amandes et au citron

Pour environ 20 sablés
Préparation et cuisson : 30 min
Réfrigération : 30 min

- 250 g de beurre ramolli
- 140 g de sucre blond
- 1 gros œuf
- 1 cuill. à café d'extrait de vanille
- le zeste de 2 citrons non traités
- 1 pincée de sel
- 300 g de farine
- 100 g d'amandes en poudre
- un peu de lait
- 3 cuill. à soupe de *lemon curd* (crème anglaise au citron)
- amandes effilées

1 Préchauffez le four à 190 °C (therm. 6-7). Dans un grand saladier, fouettez le beurre avec le sucre, l'œuf, l'extrait de vanille, le zeste de citron et le sel, jusqu'à ce que le mélange soit lisse. Incorporez la farine et les amandes. Divisez la préparation en deux. Façonnez deux boules, aplatissez-les, puis couvrez-les de film alimentaire et réservez-les au frais pendant 30 minutes.

2 Farinez le plan de travail et abaissez l'un des cercles de pâte à 3 mm d'épaisseur. Découpez des disques de pâte à l'aide d'un emporte-pièce de 7 cm de diamètre. Badigeonnez-les de lait, puis étalez un peu de lemon curd au centre de la moitié d'entre eux.

3 Posez les cercles de pâte nature sur ceux garnis de lemon curd et appuyez délicatement sur les bords pour les sceller. Parsemez de sucre blond et d'amandes effilées, puis enfournez pour 15 minutes. Laissez refroidir et répétez l'opération avec le reste de pâte.

Ces biscuits peuvent se préparer des semaines à l'avance, car leur pâte peut se conserver trois mois au congélateur.

Biscuits aux fruits secs et aux flocons d'avoine

Pour 30 biscuits
Préparation et cuisson : 30 min

- 250 g de beurre ramolli
- 200 g de vergeoise
- 1 cuill. à café d'extrait de vanille
- 2 gros œufs
- 1 pincée de sel
- 200 g de farine à levure incorporée
- 140 g de flocons d'avoine
- 50 g de cerneaux de noix de pécan, de noisettes ou d'amandes
- 50 g de noix de coco râpée
- 50 g de raisins secs ou de fruits secs mélangés

1 Dans un saladier, fouettez le beurre avec la vergeoise, puis incorporez au fouet l'extrait de vanille et les œufs, un par un. Ajoutez le sel, la farine et les flocons d'avoine, puis mélangez jusqu'à l'obtention d'une pâte ferme. Hachez les noix et incorporez-les à la préparation, avec la noix de coco râpée et les raisins secs.

2 Coupez deux feuilles de papier sulfurisé de 20 x 15 cm. Transférez la moitié de la pâte sur l'une des feuilles et roulez-la pour former un cylindre de pâte. Fermez les extrémités du rouleau en torsadant le papier et réservez-le au congélateur. Répétez l'opération avec le reste de pâte et de papier sulfurisé.

3 Le jour de la cuisson, préchauffez le four à 180 °C (therm. 6). Ôtez la pâte de son emballage et découpez-la en rondelles de 5 mm d'épaisseur, à l'aide d'un couteau trempé dans de l'eau chaude. Disposez les biscuits sur une plaque de cuisson en les espaçant bien, puis enfournez pour 15 minutes.

Ces biscuits peuvent se conserver trois jours dans une boîte hermétique.

Biscuits aux flocons d'avoine et aux pistaches

Pour 16 biscuits
Préparation et cuisson : 35 min

- huile végétale
- 125 g de beurre
- 125 g de sucre en poudre
- 1 œuf
- 2 cuill. à café d'extrait de vanille
- 125 g de gros flocons d'avoine
- 75 g de farine
- 1/2 cuill. à café de levure
- 100 g de pistaches
- 125 g de chocolat noir à l'orange

1 Préchauffez le four à 180 °C (therm. 6) et huilez légèrement deux plaques de cuisson. Dans un grand saladier, fouettez le beurre avec le sucre, jusqu'à ce que le mélange soit crémeux. Ajoutez l'œuf, l'extrait de vanille, les flocons d'avoine, la farine et la levure, puis mélangez au fouet jusqu'à l'obtention d'une pâte homogène. Décortiquez les pistaches et hachez-les grossièrement. Cassez le chocolat en gros morceaux, puis incorporez-les à la préparation avec les pistaches.

2 Déposez seize petits tas de pâte sur les plaques de cuisson, aplatissez-les légèrement avec le dos d'une fourchette, puis enfournez pour 20 minutes. Laissez reposer quelques minutes. Transférez sur une grille et laissez refroidir.

Ces biscuits aux amandes
combleront les amateurs de friandises.

Florentins aux corn flakes et au chocolat

Pour 25 florentins
Préparation et cuisson : 30 min

- 85 g de corn flakes
- 85 g d'amandes effilées et grillées
- 50 g de canneberges séchées
- 50 g de cerises confites
- 400 g de lait concentré

POUR SERVIR

- 140 g de chocolat au lait
- 140 g de chocolat blanc

1 Préchauffez le four à 180 °C (therm. 6) et tapissez deux plaques de cuisson de papier sulfurisé. Écrasez légèrement les corn flakes à l'aide d'un rouleau à pâtisserie, puis mettez-les dans un grand saladier, avec les amandes et les canneberges. Coupez les cerises confites en rondelles et ajoutez-les dans le saladier. Incorporez le lait concentré au mélange de façon à en enrober tous les ingrédients.

2 Déposez 25 cuillerées à soupe de préparation sur les plaques de cuisson en les espaçant bien, puis aplatissez légèrement chaque tas avec le dos d'une cuillère mouillée. Enfournez et laissez cuire de 8 à 12 minutes, jusqu'à ce que les florentins soient dorés. Laissez reposer 5 minutes, puis décollez soigneusement les florentins. Posez-les à l'envers sur une feuille de papier sulfurisé et laissez-les refroidir complètement.

3 Cassez les deux chocolats en morceaux et faites-les fondre séparément au micro-ondes. Badigeonnez de chocolat le dessous des florentins, laissez prendre, puis servez.

Biscuits traditionnels allemands en pain d'épices, les lebkuchen sont généralement servis au moment de Noël.

Lebkuchen

Pour 30 biscuits
Préparation et cuisson : 30 min

- 250 g de farine
- 85 g d'amandes en poudre
- 1 cuill. à café de levure
- 1/2 cuill. à café de bicarbonate de soude
- 1 pincée de clous de girofle en poudre
- 1 pincée de noix de muscade en poudre
- 1 pincée de poivre noir moulu
- 2 cuill. à café de gingembre en poudre
- 1 cuill. à café de cannelle en poudre
- 85 g de beurre
- 20 cl de miel liquide
- le zeste de 1 citron non traité

POUR LE GLAÇAGE

- 1 blanc d'œuf
- 100 g de sucre glace
- 1 ou 2 cuill. à soupe d'eau

1 Dans un grand saladier, mélangez ensemble la farine, les amandes, la levure, le bicarbonate de soude, les épices et les aromates. Dans une casserole à feu doux, faites fondre le beurre avec le miel, puis versez le mélange dans le saladier. Ajoutez le zeste de citron et mélangez jusqu'à l'obtention d'une pâte ferme. Couvrez et laissez refroidir.

2 Préchauffez le four à 180 °C (therm. 6) et tapissez deux plaques de cuisson de papier sulfurisé. Façonnez 30 boules de pâte de 3 cm de diamètre, puis aplatissez-les légèrement et disposez-les sur les plaques de cuisson en les espaçant bien. Enfournez pour 15 minutes, puis laissez refroidir sur une grille.

3 Préparez le glaçage : battez le blanc d'œuf, puis mélangez-le avec le sucre glace et l'eau jusqu'à l'obtention d'un glaçage fluide. Plongez le dessus de chaque biscuit dans le glaçage. Laissez sécher dans un endroit chaud.

Ces délicieux cookies ne sont pas sans rappeler les saveurs de la tarte Tatin…

Cookies aux pommes et au caramel

Pour 24 cookies

Préparation et cuisson : 40 min

- 175 g de beurre ramolli
- 140 g de sucre blond
- 85 g de pommes séchées
- 85 g de caramels mous
- 2 jaunes de gros œufs
- 50 g d'amandes en poudre
- 225 g de farine à levure incorporée
- 2 cuill. à soupe de lait

1 Préchauffez le four à 190 °C (therm. 6-7) et tapissez deux plaques de cuisson de papier sulfurisé. Fouettez le beurre avec le sucre à l'aide d'un batteur électrique jusqu'à ce que le mélange blanchisse.

2 Hachez grossièrement les pommes séchées et les caramels, puis incorporez-les à la préparation avec les jaunes d'œufs, les amandes et la farine. Mélangez bien le tout, puis façonnez 24 boules de pâte de la taille d'une noix.

3 Déposez les boules de pâte sur les plaques de cuisson en les espaçant bien, puis aplatissez-les légèrement avec les doigts. Badigeonnez les biscuits de lait et enfournez pour 10 minutes. Laissez reposer 5 minutes dans le four, puis transférez les cookies sur une grille pour qu'ils refroidissent.

Préparez cette recette avec des enfants : ils seront ravis d'utiliser des marshmallows pour vous aider à cuisiner !

Douceurs aux marshmallows et à la noix de coco

Pour 9 douceurs

Préparation et cuisson : 50 min

- 250 g de beurre ramolli
- 140 g de sucre blond
- 1 gros œuf
- 1 cuill. à café d'extrait de vanille
- 1 pincée de sel
- 300 g de farine
- 100 g de noix de coco râpée
- 150 g de confiture de framboise
- 18 marshmallows

POUR SERVIR

- 25 de confiture de framboises
- 25 g de noix de coco râpée

1 Préchauffez le four à 190 °C (therm. 6-7). Dans un saladier, fouettez le beurre avec le sucre, l'œuf, l'extrait de vanille et le sel, jusqu'à ce que le mélange soit lisse. Incorporez la farine et la noix de coco.

2 Farinez le plan de travail. Étalez la pâte sur 3 mm d'épaisseur, puis découpez dix-huit disques à l'aide d'un emporte-pièce de 6 cm de diamètre. Déposez les cercles sur une plaque de cuisson et enfournez pour 14 minutes. Laissez reposer 2 minutes dans le four, puis transférez les gâteaux sur une grille pour qu'ils refroidissent.

3 Posez la moitié des gâteaux à l'envers sur une plaque de cuisson. Coupez les marshmallows en deux. Déposez sur chacun des 9 biscuits 1/2 cuillerée à café de confiture et un morceau de marshmallow. Enfournez jusqu'à ce que la guimauve commence à fondre, puis posez rapidement un gâteau froid sur chaque gâteau garni et pressez légèrement. Laissez refroidir 10 minutes. Roulez la tranche des gâteaux dans un peu de confiture, puis dans la noix de coco.

La marmelade d'orange apporte
une agréable saveur acidulée à ces biscuits.

Biscuits aux flocons d'avoine et aux épices

Pour 20 biscuits
Préparation et cuisson : 40 min

- 200 g de beurre ramolli
- 175 g de vergeoise
- 2 cuill. à soupe de marmelade d'oranges
- 2 cuill. à soupe d'eau bouillante
- 2 cuill. à café de quatre-épices (ou cannelle, poivre, muscade, clous de girofle à parts égales)
- 1 cuill. à café de cannelle en poudre
- 1 cuill. à café de gingembre en poudre
- 175 g de flocons d'avoine
- 200 g de farine à levure
- 3 cuill. à café de levure
- 175 g de fruits secs (cerises confites, abricots et raisins secs)
- 100 g de noisettes

POUR SERVIR
- thé

1 Préchauffez le four à 160 °C (therm. 5-6) et tapissez deux plaques de cuisson de papier sulfurisé. Dans un saladier, fouettez le beurre avec la vergeoise jusqu'à ce que le mélange soit mousseux. Délayez la marmelade d'oranges avec l'eau, puis versez-la dans le saladier. Ajoutez les épices, les flocons d'avoine, la farine, la levure et mélangez le tout. Hachez les fruits secs et les noisettes, puis incorporez-les à la pâte.

2 Farinez vos mains et le plan de travail, puis roulez la pâte sur elle-même pour former un boudin. Coupez le boudin en vingt rondelles et posez-les sur les plaques de cuisson en les espaçant bien. Enfournez pour 25 minutes. Servez en accompagnement d'un thé au lait, à l'heure du goûter.

Si vous préparez ces biscuits à Noël, enfilez un morceau de ruban dans chaque biscuit et accrochez-les au sapin !

Biscuits au gingembre et à l'orange

Pour 14 biscuits
Préparation et cuisson : 35 min
Réfrigération : 30 min

- huile de tournesol
- 100 g de beurre froid
- 175 g de farine
- 1 cuill. à café de gingembre en poudre
- le zeste de 1 orange non traitée
- 1 cuill. à café de sel
- 50 g de sucre blond
- 1 cuill. à soupe de lait
- 12 bonbons acidulés aux fruits

POUR SERVIR
- sucre glace

1 Préchauffez le four à 180 °C (therm. 6) et badigeonnez d'huile de tournesol deux grandes plaques de cuisson antiadhésives. Coupez le beurre en morceaux. Dans le bol d'un robot, réunissez la farine, le gingembre, le zeste d'orange, le beurre et le sel. Mixez jusqu'à l'obtention d'une pâte sableuse. Ajoutez le sucre et le lait, mixez de nouveau, puis sortez la pâte du robot et pétrissez-la brièvement jusqu'à ce qu'elle soit lisse. Couvrez et réservez au réfrigérateur pendant 30 minutes.

2 Farinez le plan de travail et abaissez la pâte sur 3 mm d'épaisseur. Découpez les biscuits à l'aide d'un emporte-pièce en forme de cœur de 7 cm de large, puis évidez chaque biscuit à l'aide d'un emporte-pièce en forme de cœur de 4 cm de large. Percez le haut des biscuits et disposez-les sur les plaques de cuisson.

3 Écrasez les bonbons à l'aide d'un rouleau à pâtisserie, puis déposez-les au centre des biscuits. Enfournez pour 20 minutes, jusqu'à ce que les bonbons aient fondu, puis laissez-les durcir. Transférez les biscuits sur une grille pour qu'ils refroidissent et saupoudrez-les de sucre glace.

Les biscotti sont des biscuits secs cuits en deux temps, que les Italiens dégustent en les trempant dans le café ou dans du vin sucré.

Biscotti aux fruits secs et aux épices

Pour 72 biscotti

Préparation et cuisson : 1 h 15

- 3 gros œufs
- 350 g de farine
- 2 cuill. à café de levure
- 2 cuill. à café de quatre-épices (ou cannelle, poivre, muscade, clous de girofle à parts égales)
- 250 g de sucre blond
- le zeste de 1 orange non traitée
- 50 g de pistaches
- 85 g de raisins secs
- 85 g de cerises séchées
- 50 g d'amandes émondées

1 Préchauffez le four à 180 °C (therm. 6). Tapissez deux plaques de cuisson de papier sulfurisé. Dans un grand saladier, mélangez la farine avec la levure, les épices et le sucre. Battez les œufs dans un bol, ajoutez-les à la préparation avec le zeste d'orange et malaxez le tout du bout des doigts. Décortiquez les pistaches, puis incorporez-les dans le saladier avec les raisins secs, les cerises et les amandes. Mélangez soigneusement le tout.

2 Divisez la préparation en quatre. Farinez vos mains, puis façonnez quatre boudins de pâte de 30 cm et déposez-les sur les plaques de cuisson. Enfournez pour 30 minutes – la pâte doit être pâle, mais gonflée et ferme. Laissez refroidir quelques minutes. Pendant ce temps, abaissez la température du four à 140 °C (therm. 4-5).

3 Coupez les pains en biseau en tranches de 1 cm d'épaisseur et posez-les sur les plaques de cuisson. Enfournez pour 15 minutes. Retournez les biscotti, prolongez la cuisson de 15 minutes, puis laissez refroidir sur une grille et servez.

Cette recette de sablés, confectionnés à partir d'ingrédients courants, est idéale pour les cuisiniers en herbe.

Sablés à la confiture de fraise

Pour 12 sablés

Préparation et cuisson : 25 min

- 200 g de farine à levure incorporée
- 100 g de sucre blond
- 100 g de beurre ramolli
- 1 gros œuf
- 4 cuill. à soupe de confiture de fraises

1 Préchauffez le four à 190 °C (therm. 6-7). Dans un saladier, mélangez la farine avec le sucre et le beurre jusqu'à l'obtention d'une pâte sableuse. Battez l'œuf dans un bol, puis incorporez-en juste assez à la préparation pour obtenir une pâte ferme.

2 Farinez vos mains et façonnez un boudin de pâte d'environ 5 cm de diamètre. Coupez-le en rondelles d'environ 2 cm d'épaisseur, puis disposez-les sur une grande plaque de cuisson en les espaçant bien.

3 Faites un petit creux au milieu de chaque sablé à l'aide d'une cuillère en bois et versez 1 cuillerée à café de confiture à l'intérieur. Enfournez pour 15 minutes, puis laissez refroidir sur une grille.

Préparez le double de pâte et congelez-en la moitié pour avoir toujours sous la main de quoi préparer ces délicieux cookies fruités.

Cookies aux flocons d'avoine et aux myrtilles

Pour 12 cookies
Préparation et cuisson : 35 min
Réfrigération : 30 min

- 175 g de farine
- 1/2 cuill. à café de levure
- 85 g de flocons d'avoine
- 175 g de sucre blond
- 1 cuill. à café de cannelle en poudre
- 140 g de beurre froid
- 50 g de cerneaux de noix de pécan
- 70 g de myrtilles séchées
- 1 gros œuf

1 Dans un saladier, réunissez la farine, la levure, les flocons d'avoine, le sucre et la cannelle, puis malaxez le tout avec les mains. Coupez le beurre en morceaux et hachez grossièrement les noix de pécan, puis incorporez-les à la préparation avec les myrtilles. Battez l'œuf dans un bol et versez-le dans le saladier. Mélangez bien l'ensemble à l'aide d'une cuillère en bois, jusqu'à ce que la pâte forme une boule. Farinez le plan de travail, puis façonnez un boudin de pâte de 6 cm de diamètre. Enveloppez la pâte de film alimentaire et réservez-la au réfrigérateur pendant 30 minutes, jusqu'à ce qu'elle soit ferme.

2 Préchauffez le four à 180 °C (therm. 6). Ôtez le film alimentaire, coupez la pâte en rondelles épaisses et disposez-les sur une ou plusieurs plaques de cuisson. Enfournez pour 15 minutes – un peu plus si vous utilisez de la pâte congelée. Laissez les cookies durcir sur les plaques de cuisson, puis transférez-les sur une grille et laissez-les refroidir complètement.

Vous pouvez également préparer ces biscuits avec des raisins secs ou des pépites de chocolat. Ils sont encore meilleurs le lendemain…

Biscuits à la canneberge

Pour 16 biscuits
Préparation et cuisson : 35 min

- huile végétale
- 50 g de beurre ramolli
- 100 g de farine à levure incorporée
- 1 gros œuf
- 1 petite pomme
- 1 cuill. à café de quatre-épices (ou cannelle, poivre, muscade, clous de girofle à parts égales)
- 50 g de sucre roux
- 85 g de canneberges séchées
- 1 cuill. à soupe de lait

POUR SERVIR
- sucre glace

1 Préchauffez le four à 180 °C (therm. 6) et huilez légèrement une plaque de cuisson antiadhésive. Dans un saladier, malaxez du bout des doigts le beurre avec la farine jusqu'à l'obtention d'une pâte sableuse. Battez l'œuf dans un bol. Coupez la pomme en deux, évidez-la, puis détaillez-la en dés. Ajoutez dans le saladier le quatre-épices, le sucre roux, les canneberges, le lait, l'œuf battu et les dés de pomme. Mélangez tous les ingrédients jusqu'à l'obtention d'une pâte souple.

2 Déposez 16 cuillerées à café bombées de pâte sur les plaques de cuisson, en les espaçant bien, puis enfournez pour 20 minutes. Transférez les biscuits sur une grille, saupoudrez-les de sucre glace et laissez-les refroidir. Ces biscuits se conservent parfaitement dans une boîte hermétique.

Cette recette traditionnelle vous assurera
un succès indéniable à chaque fois !

Cookies aux pépites de chocolat et aux noix de pécan

Pour 12 cookies
Préparation et cuisson : 25 min

- 200 g de chocolat noir à 70 % de cacao
- 1 gros œuf
- 100 g de beurre
- 50 g de sucre roux
- 85 g de sucre blond
- 1 cuill. à café d'extrait de vanille
- 100 g de cerneaux de noix de pécan
- 100 g de farine
- 1 cuill. à café de bicarbonate de soude

1 Préchauffez le four à 180 °C (therm. 6). Cassez le chocolat en morceaux et faites-en fondre 85 g au micro-ondes. Battez l'œuf dans un bol et coupez le beurre en petits morceaux, puis incorporez-les au chocolat fondu avec les deux sucres et l'extrait de vanille. Fouettez le tout jusqu'à ce que le mélange soit lisse. Ajoutez les trois quarts des noix de pécan et du reste de chocolat, la farine et le bicarbonate de soude, puis brassez bien l'ensemble.

2 Déposez 12 cuillerées à soupe de pâte sur deux plaques de cuisson, en les espaçant bien. Enfoncez les noix de pécan et les carrés de chocolat restants dans la pâte, puis enfournez pour 12 minutes et laissez refroidir sur les plaques. Ces cookies peuvent se conserver jusqu'à 3 jours dans une boîte hermétique.

L'opération la plus délicate dans cette recette est la décoration minutieuse des biscuits en forme de bonshommes.

Biscuits épicés au gingembre

Pour 12 biscuits
Préparation et cuisson : 30 min

- 140 g de beurre
- 100 g de sucre roux
- 3 cuill. à soupe de sirop d'érable
- 350 g de farine
- 1 cuill. à café de bicarbonate de soude
- 2 cuill. à café de gingembre en poudre
- 1 cuill. à café de cannelle en poudre
- 1 pincée de piment de Cayenne (facultatif)
- 1 morceau de gingembre de 6 cm

POUR LE GLAÇAGE

- 50 g de sucre glace
- un peu d'eau

POUR SERVIR

- quelques cerises confites
- 1 morceau de gingembre de 3 cm

1 Préchauffez le four à 200 °C (therm. 6-7). Tapissez deux plaques de cuisson de papier sulfurisé. Dans une casserole, faites fondre le beurre avec le sucre et le sirop d'érable. Dans un saladier, mélangez la farine avec le bicarbonate de soude et les épices. Hachez le gingembre, puis ajoutez-le dans le saladier avec le beurre caramélisé et mélangez bien.

2 Laissez refroidir, puis étalez la pâte sur 5 mm d'épaisseur. Découpez les biscuits à l'aide d'un emporte-pièce. Pétrissez les chutes de pâte et répétez l'opération. Transférez les biscuits sur les plaques de cuisson et enfournez pour 12 minutes. Laissez reposer 10 minutes, puis déposez-les sur une grille afin qu'ils refroidissent.

3 Préparez le glaçage. Délayez le sucre glace avec un peu d'eau pour obtenir un glaçage épais. Versez-le dans un sac de congélation, coupez l'un des angles du sac et dessinez les yeux, la bouche et les boutons des bonshommes. Coupez les cerises confites en deux puis en tranches, et le gingembre en dés. Collez sur chaque biscuit une bouche en cerise et trois boutons en gingembre. Laissez durcir le glaçage, puis servez.

Vous pouvez congeler ces cookies avant de les cuire.
Le temps de cuisson sera alors de 15 à 20 minutes.

Cookies au chocolat blanc et à la canneberge

Pour 60 cookies
Préparation et cuisson : 1 h 10

- 600 g de chocolat blanc
- 200 g de beurre
- 2 gros œufs
- 100 g de sucre roux
- 175 g de sucre blond
- 2 cuill. à café d'extrait de vanille
- 100 g de noix de macadamia
- 350 g de farine
- 2 cuill. à café de levure
- 1 cuill. à café de cannelle en poudre
- 100 g de canneberges séchées

POUR SERVIR
- thé

1 Préchauffez le four à 180 °C (therm. 6). Coupez le chocolat blanc en petits morceaux, faites-en fondre 175 g et laissez-le refroidir. Incorporez au chocolat fondu le beurre, les œufs, les deux sucres et l'extrait de vanille à l'aide d'un batteur électrique, jusqu'à ce que le mélange soit crémeux. Hachez les noix de macadamia, puis ajoutez-les à la préparation avec la farine, la levure, la cannelle, les canneberges et 300 g de chocolat blanc.

2 Déposez douze petits tas de pâte sur une grande plaque de cuisson, en les espaçant, puis enfoncez à l'intérieur le reste de morceaux de chocolat. Enfournez pour 12 minutes et laissez reposer 2 minutes. Transférez les biscuits sur une grille pour qu'ils refroidissent. Répétez l'opération avec le reste de la pâte. Servez en accompagnement d'un thé au lait.

NOSEGAY

Le thé Lady Grey, subtilement parfumé à l'orange, au citron et à la bergamote, donne à ces biscuits une saveur inattendue!

Biscuits au thé et au chocolat

Pour 40 biscuits
Préparation et cuisson : 35 min
Réfrigération : 1 h

- 140 g de beurre ramolli
- 100 g de sucre roux
- 1 gros œuf
- 50 g de chocolat noir
- 2 cuill. à soupe de feuilles de thé Lady Grey
- 200 g de farine

POUR LE GLAÇAGE
- 140 g de sucre glace
- 2 cuill. à soupe de thé Lady Grey infusé, très fort

1 Fouettez le beurre avec le sucre jusqu'à ce que le mélange soit léger et mousseux. Battez l'œuf dans un bol et hachez le chocolat, puis incorporez-les à la préparation avec les feuilles de thé. Ajoutez la farine et mélangez jusqu'à l'obtention d'une pâte souple. Façonnez un boudin de 25 cm de long, enveloppez-le dans du film alimentaire et réservez-le au réfrigérateur pendant 1 heure, jusqu'à ce qu'il soit dur.

2 Préchauffez le four à 190 °C (therm. 6-7) et graissez deux plaques de cuisson. Coupez la pâte en rondelles de 5 mm d'épaisseur et transférez-les sur les plaques de cuisson, en les espaçant bien. Enfournez pour 15 minutes, puis laissez refroidir sur une grille.

3 Préparez le glaçage : tamisez le sucre glace au-dessus d'un saladier, puis fouettez-le avec le thé jusqu'à ce que le glaçage soit lisse. Versez-le dans un sac de congélation, coupez l'un des angles du sac et tracez des lignes en zigzag sur chaque biscuit. Laissez reposer, puis servez.

Dans cette recette très énergétique, vous pouvez remplacer le chocolat noir par du chocolat au lait.

Carrés aux flocons d'avoine et aux fruits secs

Pour 12 carrés
Préparation et cuisson : 1 h

- 200 g de flocons d'avoine
- 25 g de noix de coco râpée
- 140 g de beurre
- 50 g de sucre roux
- 5 cuill. à soupe de sirop d'érable
- 175 g de graines mélangées non salées (pistaches, cacahuètes, etc.)
- 50 g de canneberges ou de cerises séchées
- 75 g de chocolat noir

POUR SERVIR
- 25 g de chocolat noir

1 Préchauffez le four à 160 °C (therm. 5-6). Beurrez un moule rectangulaire de 18 x 28 cm et tapissez le fond de papier sulfurisé. Dans un saladier, mélangez les flocons d'avoine avec la noix de coco. Faites fondre le beurre avec le sucre et le sirop d'érable dans une casserole à feu moyen, en remuant régulièrement.

2 Arrêtez le feu. Hachez grossièrement les graines, puis ajoutez-les dans la casserole avec les canneberges et le contenu du saladier. Mélangez et laissez refroidir. Cassez le chocolat en gros morceaux et incorporez-les à la préparation. Versez dans le moule, puis enfournez pour 30 minutes. Tracez des carrés sur la pâte pendant qu'elle est encore chaude.

3 Laissez refroidir, puis coupez en carrés. Faites fondre un peu de chocolat noir et nappez-en les carrés. Ces friandises peuvent se garder 1 semaine dans une boîte hermétique.

Ces biscuits feront sensation à Halloween ! Les ongles peuvent aussi être réalisés avec des morceaux de cerises confites.

Biscuits d'Halloween aux amandes

Pour 20 biscuits
Préparation et cuisson : 30 min
Réfrigération : 30 min

- 100 g de sucre en poudre
- 100 g de beurre
- 1 jaune d'œuf
- 200 g de farine
- 1/2 cuill. à café d'extrait de vanille
- 1 pincée de sel
- 20 amandes émondées

POUR SERVIR
- colorant alimentaire rouge

1 Tapissez une plaque de cuisson de papier sulfurisé. Dans le bol d'un robot, réunissez le sucre, le beurre, le jaune d'œuf, la farine, la vanille et 1 pincée de sel. Mixez jusqu'à ce que le mélange forme une boule de pâte. Prélevez un morceau de pâte de la taille d'une balle de golf et roulez-le pour lui donner la forme d'un doigt. Répétez l'opération jusqu'à l'obtention de 20 biscuits, puis déposez-les sur la plaque de cuisson, en les espaçant bien.

2 Avec un couteau, pratiquez trois entailles pour figurer les articulations. Placez une amande à l'extrémité de chaque doigt et découpez la pâte autour. Réservez au réfrigérateur pendant 30 minutes.

3 Préchauffez le four à 190 °C (therm. 6-7). Enfournez les biscuits et laissez-les cuire 10 à 12 minutes. Laissez refroidir un peu, puis badigeonnez les amandes de colorant alimentaire. Ces biscuits peuvent se faire 3 jours à l'avance et se conserver dans une boîte hermétique.

N'hésitez pas à congeler ces barres de céréales et à les sortir du congélateur au fur et à mesure pour le goûter des enfants.

Barres de céréales aux prunes et aux noix

Pour 18 barres
Préparation et cuisson : 1 h 20

- 450 g de prunes fraîches
- 2 cuill. à café de quatre-épices (ou cannelle, poivre, muscade, clous de girofle à parts égales)
- 300 g de sucre roux
- 1 pincée de sel
- 350 g de beurre
- 50 g de cerneaux de noix
- 300 g de flocons d'avoine
- 140 g de farine
- 3 cuill. à soupe de sirop d'érable

1 Préchauffez le four à 200 °C (therm. 6-7). Dénoyautez les prunes, coupez-les en tranches et mélangez-les dans un saladier avec le quatre-épices, 50 g de sucre roux et 1 pincée de sel. Réservez la préparation.

2 Pendant ce temps, dans une casserole à feu doux, faites fondre le beurre. Hachez les noix et mettez-les dans un grand saladier avec les flocons d'avoine, la farine et le reste du sucre roux. Mélangez, puis incorporez le beurre fondu et le sirop d'érable à la préparation.

3 Graissez un moule carré de 20 cm de côté et versez la moitié de la pâte dedans. Tassez bien, puis répartissez sur le dessus les morceaux de prune en une couche régulière. Versez le reste de la pâte et tassez de nouveau, puis enfournez pour 45 minutes. Laissez refroidir et coupez en 18 barres.

Vous pouvez réaliser cette recette toute l'année en utilisant des mûres fraîches ou surgelées.

Carrés aux mûres et à la noix de coco

Pour 12 carrés
Préparation et cuisson : 1 h 30

- 250 g de farine à levure incorporée
- 25 g de flocons d'avoine
- 280 g de vergeoise
- 200 g de beurre froid
- 75 g de noix de coco râpée
- 2 œufs
- 350 g de mûres

1 Préchauffez le four à 180 °C (therm. 6). Dans un grand saladier, mélangez la farine avec les flocons d'avoine et la vergeoise. Coupez le beurre en morceaux et incorporez-les au mélange, jusqu'à l'obtention d'une pâte sableuse. Ajoutez la noix de coco, remuez, puis réservez une tasse du mélange.

2 Battez les œufs dans un bol et incorporez-les à la préparation. Tapissez un moule rectangulaire de 31 x 17 cm ou un moule carré de 21 cm de côté de papier sulfurisé. Versez la pâte dans le moule, lissez sa surface avec le dos d'une cuillère et parsemez-la de mûres.

3 Couvrez avec la pâte sableuse réservée, puis enfournez pour 1 h 15. Laissez refroidir, puis démoulez et coupez en carrés.

Créez des variantes en utilisant diverses friandises et des biscuits au gingembre ou des sablés.

Barres croustillantes au chocolat et aux marshmallows

Pour 12 barres
Préparation et cuisson : 20 min
Réfrigération : 1 h

- 100 g de beurre
- 300 g de chocolat noir
- 3 cuill. à soupe de sirop d'érable
- 140 g de biscuits secs
- 2 loukoums de 55 g
- 12 marshmallows roses

1 Dans une casserole, faites fondre le beurre à feu doux avec le chocolat et le sirop d'érable en remuant fréquemment, jusqu'à ce que le mélange soit lisse. Laissez refroidir 10 minutes. Pendant ce temps, tapissez un moule carré de 17 cm de côté de papier sulfurisé.

2 Écrasez grossièrement les biscuits secs. Coupez les loukoums en deux, puis en tranches, et les marshmallows en quatre à l'aide de ciseaux. Incorporez les morceaux de biscuits, de loukoums et de marshmallows à la préparation, puis étalez-la dans le moule en une couche régulière. Réservez au frais jusqu'à ce que la pâte soit dure et coupez-la en barres.

Ces délicieux sablés sont très faciles à préparer... et avec seulement cinq ingrédients !

Sablés nature

Pour 24 sablés
Préparation et cuisson : 40 min
Réfrigération : 30 min à 2 jours

- 300 g de beurre ramolli
- 200 g de sucre blond
- 300 g de farine
- 140 g de farine de riz
- 1 pincée de sel

1 Dans le bol d'un robot, mixez le beurre avec 140 g de sucre, jusqu'à ce que le mélange soit lisse. Ajoutez les farines et le sel, puis mixez de nouveau, jusqu'à l'obtention d'un mélange homogène.

2 Étalez la pâte avec les mains dans un moule rectangulaire de 20 x 30 x 4 cm. Couvrez de film alimentaire, lissez parfaitement sa surface et réservez au réfrigérateur de 30 minutes à 2 jours.

3 Préchauffez le four à 180 °C (therm. 6). Ôtez le film alimentaire et tracez de fines lignes sur la pâte à l'aide d'un couteau. Saupoudrez du reste de sucre blond, puis enfournez pour 25 minutes. Laissez refroidir dans le moule et découpez 24 barres. Ces sablés peuvent se conserver 1 semaine dans une boîte hermétique.

Idéalement, conservez ce gâteau au frais dans son moule et coupez des parts au fur et à mesure.

Gâteau aux framboises et au chocolat blanc

Pour 16 parts
Préparation et cuisson : 50 min
Réfrigération : 1 h

- 375 g de pâte brisée prête à l'emploi
- 500 g de mascarpone
- 100 g de sucre blond
- 100 g d'amandes en poudre
- 2 gros œufs
- 100 g de chocolat blanc
- 250 g de framboises fraîches

1 Préchauffez le four à 160 °C (therm. 5-6). Farinez le plan de travail, déroulez la pâte et tapissez-en un moule rectangulaire de 30 x 20 cm. Couvrez la pâte de papier sulfurisé et garnissez-la de haricots secs pour éviter qu'elle ne gonfle, puis enfournez pour 10 minutes. Ôtez les haricots, le papier, et prolongez la cuisson de 5 minutes.

2 Dans un saladier, fouettez le mascarpone avec le sucre, les amandes et les œufs jusqu'à ce que le mélange soit homogène. Hachez grossièrement le chocolat et incorporez-le au mélange avec les framboises. Versez la pâte dans le moule, puis enfournez pour 25 minutes. Arrêtez le four, ouvrez-le et laissez refroidir le gâteau à l'intérieur. Pour un meilleur résultat, placez le moule au réfrigérateur pendant au moins 1 heure avant de couper le gâteau en parts.

Pour un résultat optimal, utilisez un muesli non sucré contenant peu de fruits secs.

Barres de céréales à la banane et aux noix de pécan

Pour 12 barres

Préparation et cuisson : 35 min

- 100 g de beurre
- 100 g de sucre roux
- 4 cuill. à soupe de sirop d'érable
- 1 banane mûre
- 100 g de cerneaux de noix de pécan
- 350 g de muesli sans sucre

1 Préchauffez le four à 180 °C (therm. 6). Beurrez un moule rectangulaire de 18 x 28 cm et tapissez le fond de papier sulfurisé. Dans une casserole, faites fondre le beurre avec le sucre roux et le sirop d'érable en remuant constamment, jusqu'à l'obtention d'un mélange homogène, puis laissez tiédir.

2 Écrasez la banane et hachez la moitié des noix de pécan. Ajoutez-les dans la casserole avec le muesli, puis mélangez le tout. Versez la préparation dans le moule et tassez-la avec le dos d'une cuillère.

3 Parsemez du reste de noix, puis enfoncez-les délicatement dans la pâte. Enfournez pour 25 minutes et laissez refroidir dans le moule. Démoulez en glissant la lame d'un couteau le long des bords du moule, puis découpez en 12 barres. Vous pouvez les conserver 5 jours dans une boîte hermétique.

Pour ôter quelques calories à ces friandises, supprimez les bonbons : elles seront tout aussi délicieuses !

Cubes croustillants au chocolat et aux myrtilles

Pour 16 cubes
Préparation et cuisson : 20 min
Réfrigération : 1 h

- 140 g de chocolat noir (à 70 % de cacao)
- 100 g de beurre
- 4 cuill. à soupe de sirop d'érable
- 100 g de grains de riz soufflés
- 50 g de myrtilles séchées
- 50 g de canneberges séchées
- 100 g de mini-marshmallows

POUR SERVIR
- 50 g de chocolat blanc
- bonbons gélifiés

1 Tapissez un moule carré de 20 cm de côté de papier sulfurisé. Cassez le chocolat noir en morceaux, puis faites-les fondre dans une casserole à feu doux, avec le beurre et le sirop d'érable.

2 Dans un grand saladier, mélangez les grains de riz soufflés avec les fruits séchés et les mini-marshmallows, puis ajoutez le chocolat fondu. Versez la préparation dans le moule et répartissez-la uniformément. Laissez durcir au réfrigérateur pendant au moins 1 heure.

3 Démoulez, ôtez le papier sulfurisé et coupez la plaque en 16 cubes. Cassez le chocolat blanc en morceaux, puis faites-les fondre au micro-ondes, en remuant à mi-cuisson. À l'aide d'une cuillère, décorez les cubes avec des filaments de chocolat blanc. Ajoutez les bonbons, puis laissez durcir le chocolat blanc avant de servir. Ces friandises se conservent jusqu'à 2 jours dans une boîte hermétique.

Servez ces carrés gourmands avec un thé nature.

Mignardises au caramel et au chocolat

Pour 16 mignardises
Préparation et cuisson : 1 h 20
Congélation : 5 min
Réfrigération : 35 min

- 85 g d'amandes émondées
- 175 g de farine
- 25 g de fécule de maïs
- 50 g de sucre blond
- 1 pincée de sel
- 140 g de beurre froid
- les graines de 1 gousse de vanille

POUR LE CARAMEL

- 200 g de sucre blond
- 10 cl d'eau
- 15 cl de crème fraîche
- 50 g de beurre
- 1/2 cuill. à café de sel

POUR LE GLAÇAGE

- 200 g de chocolat à 70 % de cacao
- 85 g de beurre

1 Préchauffez le four à 160 °C (therm. 5-6) et beurrez un moule rectangulaire de 20 x 23 cm. Dans une poêle antiadhésive, faites griller les amandes à sec, puis hachez-les. Tamisez la farine et la fécule de maïs au-dessus d'un saladier. Incorporez le sucre, les amandes hachées et le sel. Coupez le beurre en dés et ajoutez-les dans le saladier avec la vanille, puis malaxez du bout des doigts jusqu'à l'obtention d'une pâte sableuse. Tassez la pâte dans le moule et mettez-la au congélateur pendant 5 minutes. Enfournez pour 40 minutes, puis laissez refroidir.

2 Préparez le caramel. Dans une casserole à fond épais, faites fondre le sucre dans l'eau à feu doux en remuant. Augmentez le feu et prolongez la cuisson jusqu'à ce que le sirop fonce. Ajoutez la crème fraîche, coupez le beurre en dés et incorporez-les au mélange avec le sel. Versez le caramel sur le sablé et laissez refroidir.

3 Préparez le glaçage. Dans une casserole, faites fondre le chocolat avec le beurre, puis répartissez le mélange sur le caramel. Réservez au réfrigérateur pendant 30 minutes, puis coupez en carrés.

Ces barres énergétiques sont idéales
pour combler les petits creux.

Barres de céréales aux fruits secs

Pour 9 carrés
Préparation et cuisson : 40 min

- 175 g de beurre
- 140 g de miel liquide
- 250 g de sucre demerara (dans les épiceries fines)
- 350 g de flocons d'avoine
- 1½ cuill. à café de cannelle en poudre
- 85 g de cerneaux de noix de pécan ou de noix
- 85 g de raisins secs
- 85 g de papaye ou de mangue séchée
- 85 g d'abricots secs
- 85 g de graines de citrouille
- 50 g d'amandes en poudre
- 50 g de graines de sésame

1 Préchauffez le four à 190 °C (therm. 6-7). Tapissez le fond d'un moule carré de 23 cm de côté de papier sulfurisé. Dans une casserole, faites fondre le beurre avec le miel, puis ajoutez le sucre et mélangez le tout.

2 Laissez cuire à feu doux 5 minutes en remuant, jusqu'à ce que le sucre soit dissous. Portez à ébullition et laissez bouillir 12 minutes en remuant constamment, jusqu'à l'obtention d'un caramel lisse.

3 Dans un saladier, mélangez ensemble tous les ingrédients restants, puis incorporez-les au caramel. Versez la préparation dans le moule et lissez avec le dos d'une cuillère trempée dans de l'eau chaude. Enfournez pour 15 minutes, jusqu'à ce que les bords de la préparation brunissent, puis laissez refroidir. Démoulez en glissant la lame d'un couteau le long des bords du moule et ôtez le papier sulfurisé. Laissez complètement refroidir, puis coupez en 9 carrés.

Pour cette recette, vous pouvez également utiliser du café décaféiné.

Pavés au café

Pour 12 pavés
Préparation et cuisson : 50 min

- 100 g de beurre
- 225 g de vergeoise
- 2 gros œufs
- 3 cuill. à soupe d'expresso
- 2 cuill. à café de levure
- 125 g de farine

POUR LE GLAÇAGE

- 300 g de chocolat blanc
- 30 cl de crème aigre (ou crème fraîche additionnée de quelques gouttes de jus de citron)
- 4 cuill. à café de sucre en poudre

POUR SERVIR

- cacao en poudre

1 Préchauffez le four à 180 °C (therm. 6). Beurrez un moule rectangulaire de 20 x 23 cm et tapissez-le de papier sulfurisé.

2 Dans une grande casserole, faites fondre le beurre, puis ajoutez la vergeoise et mélangez délicatement. Hors du feu, incorporez les œufs et le café. Ajoutez la levure et la farine, brassez bien le tout et versez la pâte dans le moule. Enfournez pour 20 minutes, puis laissez refroidir. Démoulez le gâteau sur une planche à découper.

3 Préparez le glaçage. Cassez le chocolat blanc en morceaux et mettez-les dans un saladier, puis faites-les fondre au bain-marie avec la crème aigre et le sucre. Mélangez et laissez refroidir pendant 15 minutes. Répartissez le glaçage sur le gâteau, puis saupoudrez de cacao et laissez reposer. Coupez en 12 carrés et servez avec une boisson chaude.

Ce gâteau se réalise sans cuisson, il faut seulement placer la préparation au réfrigérateur pendant 1 heure.

Croquants au chocolat et aux noisettes

Pour 8 parts
Préparation : 20 min
Réfrigération : 1 h

- 100 g de beurre
- 185 g de chocolat noir
- 2 cuill. à soupe de sirop d'érable
- 100 g de noisettes
- 225 g de biscuits au gingembre

1 Beurrez un moule rond de 18 cm de diamètre. Dans un récipient résistant à la chaleur, faites fondre le beurre, 100 g de chocolat et le sirop d'érable au bain-marie, en remuant régulièrement.

2 Dans une poêle antiadhésive, faites griller à sec les noisettes, puis hachez-les. Écrasez les biscuits au gingembre et incorporez-les au mélange à base de chocolat avec les trois quarts des noisettes. Versez dans le moule et tassez délicatement. Faites fondre le reste du chocolat, puis nappez-en la préparation. Parsemez du reste des noisettes grillées. Réservez au réfrigérateur pendant au moins 1 heure, puis divisez en 8 parts et servez.

Voici la version la plus classique et la plus simple à réaliser des barres de céréales.

Barres de céréales aux flocons d'avoine

Pour 10 barres
Préparation et cuisson : 45 min

- 175 g de beurre
- 100 g de sucre roux
- 1 bonne cuill. à soupe de sirop d'érable
- 225 g de flocons d'avoine

1 Préchauffez le four à 170 °C (therm. 5-6). Graissez un moule carré de 20 cm de côté, puis tapissez-le de papier sulfurisé. Dans une casserole à feu doux, faites fondre le beurre avec le sucre et le sirop d'érable jusqu'à l'obtention d'un sirop foncé.

2 Arrêtez le feu et incorporez les flocons d'avoine à la préparation. Versez-la dans le moule, puis enfournez et laissez cuire de 20 à 25 minutes – la préparation doit être légèrement plus foncée sur les bords. Sortez le moule du four et, à l'aide d'un couteau, tracez les contours de 10 barres sur la pâte. Laissez reposer quelques minutes, puis découpez en suivant les traits. Quand la pâte est froide, glissez un couteau à lame ronde le long des bords du moule et démoulez sur une planche à découper. Ôtez le papier sulfurisé et séparez les barres. Elles peuvent se garder 3 jours dans une boîte hermétique.

Le lamington est un gâteau australien au chocolat enrobé de noix de coco, parfois fourré à la confiture ou à la crème.

Lamingtons

Pour 16 cubes
Préparation et cuisson : 1 h 30

- huile végétale
- 6 gros œufs
- 140 g de sucre blond
- 25 g de beurre
- 200 g de farine à levure incorporée
- 5 cuill. à soupe d'eau chaude

POUR LA CRÈME À LA VANILLE
- 250 g de sucre glace
- 1 cuill. à café d'extrait de vanille
- 50 g de beurre ramolli
- 2 cuill. à café de lait

POUR LE GLAÇAGE
- 300 g de sucre glace
- 4 cuill. à soupe de cacao en poudre
- 25 g de beurre
- 15 cl de lait

POUR SERVIR
- 140 g de noix de coco râpée

1 Préchauffez le four à 160 °C (therm. 5-6). Graissez un moule carré de 23 cm de côté. Dans un saladier, fouettez les œufs avec le sucre jusqu'à ce que le mélange blanchisse. Faites fondre le beurre, puis ajoutez-le dans le saladier avec la farine et l'eau. Versez la préparation dans le moule et enfournez pour 35 minutes. Démoulez et laissez refroidir sur une grille.

2 Préparez la crème à la vanille. Fouettez ensemble tous les ingrédients jusqu'à l'obtention d'une crème épaisse. Divisez le gâteau en 16 carrés, puis coupez-les horizontalement et garnissez-les de crème à la vanille.

3 Préparez le glaçage. Tamisez le sucre glace et le cacao au-dessus d'un saladier. Faites chauffer le beurre et le lait au micro-ondes, puis incorporez-les au mélange à base de cacao. Répartissez la préparation sur les carrés, puis déposez-les sur une grille. Parsemez de noix de coco et laissez prendre le glaçage avant de servir.

La polenta donne à ce gâteau sa couleur et son moelleux. Vous pouvez la supprimer et utiliser 200 g de farine à levure incorporée en tout.

Moelleux au citron

Pour 12 parts
Préparation et cuisson : 55 min

- 200 g de beurre ramolli
- 200 g de sucre blond
- 4 gros œufs
- 100 g de polenta
- 140 g de farine à levure incorporée
- le zeste de 3 citrons non traités
- 4 cuill. à soupe de *lemon curd* (crème anglaise à base de citron)
- 1 pincée de sel

POUR LE GLAÇAGE

- 60 g de sucre en poudre
- le jus de 1 citron

POUR SERVIR

- le zeste de 1 citron non traité
- 1 cuill. à soupe de sucre en poudre
- café

1 Préchauffez le four à 180 °C (therm. 6). Beurrez un moule rectangulaire de 20 x 30 cm et tapissez-le de papier sulfurisé.

2 Dans un grand saladier, fouettez ensemble le beurre, le sucre, les œufs, la polenta, la farine, le zeste de citron et le sel, jusqu'à l'obtention d'une pâte crémeuse. Versez-la dans le moule, puis, à l'aide d'une cuillère, étalez de larges bandes de lemon curd à la surface de la pâte. Enfournez pour 35 minutes. Laissez refroidir 10 minutes dans le moule, puis transférez délicatement le moelleux sur une grille.

3 Préparez le glaçage : délayez 4 cuillerées à soupe de sucre avec le jus de citron et versez le mélange sur le moelleux tant qu'il est chaud. Mélangez le zeste de citron avec 1 cuillerée à soupe de sucre, puis parsemez-en le moelleux. Laissez-le refroidir avant de le couper. Servez avec un café.

Ce gâteau moelleux rappelle le pain d'épices d'autrefois. Servez-le au goûter ou réchauffez-en une tranche épaisse et dégustez-la en dessert, avec un peu de crème anglaise.

Gâteau à la rhubarbe et aux épices

Pour 12 parts
Préparation et cuisson : 1 h 15

- 20 cl d'eau
- 140 g de beurre ramolli
- 100 g de sucre roux
- 250 g de sirop d'érable
- 1 cuill. à café de bicarbonate de soude
- 300 g de farine à levure incorporée
- 2 cuill. à café de quatre-épices (ou cannelle, poivre, muscade, clous de girofle à parts égales)
- 1 cuill. à café de gingembre en poudre
- 2 gros œufs
- 300 g de rhubarbe

POUR SERVIR

- sucre glace

1 Préchauffez le four à 180 °C (therm. 6) et mettez l'eau à bouillir. Beurrez un moule carré de 20 cm de côté et tapissez-le de papier sulfurisé. Dans le bol d'un robot, mixez le beurre avec le sucre jusqu'à ce que le mélange soit mousseux, puis incorporez le sirop d'érable. Délayez le bicarbonate de soude avec l'eau bouillante dans un bol et ajoutez-le progressivement au contenu du robot. Tamisez la farine, le quatre-épices et le gingembre au-dessus d'un saladier, puis incorporez-les au mélange. Battez les œufs dans un saladier et versez-les dans la préparation. Mixez de nouveau tous les ingrédients, puis ôtez le bol du robot. Coupez la rhubarbe en petits morceaux et incorporez-les délicatement à la préparation.

2 Versez la pâte dans le moule, puis enfournez et laissez cuire de 50 minutes à 1 heure. Laissez refroidir 5 minutes dans le moule et démoulez sur une grille. Saupoudrez de sucre glace, puis servez.

Cette recette de gâteau à la carotte est beaucoup moins calorique que sa version classique.

Carrot cake aux raisins secs

Pour 16 parts
Préparation et cuisson : 1 h 30

- le zeste de 1 orange non traitée
- 3 cuill. à soupe de jus d'orange
- 140 g de raisins secs
- 115 g de farine à levure incorporée
- 115 g de farine complète
- 1 cuill. à café et 1 pincée de levure
- 1 cuill. à café de bicarbonate de soude
- 1 cuill. à café bombée de cannelle en poudre
- 2 gros œufs
- 140 g de sucre roux
- 15 cl d'huile de colza
- 280 g de carottes

POUR LE GLAÇAGE

- 100 g de fromage frais allégé
- 100 g de fromage blanc
- 3 cuill. à soupe de sucre glace tamisé
- 1/2 cuill. à café de zeste d'orange non traitée, finement râpé
- 1 cuill. à café de jus de citron

1 Préchauffez le four à 160 °C (therm. 5-6). Dans un bol, mélangez le zeste d'orange avec le jus d'orange et les raisins secs. Huilez un moule carré de 20 cm de côté, puis tapissez son fond de papier sulfurisé. Dans un petit saladier, mélangez les deux farines avec 1 cuillerée à café de levure, le bicarbonate de soude et la cannelle.

2 Séparez le jaune du blanc d'un œuf. Dans un grand saladier, fouettez le jaune avec l'œuf entier et le sucre roux jusqu'à ce que le mélange épaississe. Versez l'huile et fouettez le tout, puis incorporez le mélange d'ingrédients secs, en deux fois. Saupoudrez le blanc d'œuf de 1 pincée de levure et montez-le en neige. Râpez finement les carottes, puis ajoutez-les au contenu du bol et incorporez le blanc en neige. Versez la pâte dans le moule et enfournez pour 1 heure. Laissez reposer 5 minutes, puis démoulez sur une grille.

3 Préparez le glaçage : battez ensemble tous les ingrédients jusqu'à l'obtention d'une crème lisse. Nappez le gâteau de glaçage et laisser reposer quelques minutes avant de le couper.

Cette recette fondante nécessite un chocolat peu riche en cacao.

Brownies au chocolat et à l'orange

Pour 15 brownies
Préparation et cuisson : 1 h 10

- 175 g de beurre
- 200 g de chocolat noir
- 200 g de sucre roux
- 3 gros œufs
- 140 g de farine
- 1 cuill. à café d'extrait de vanille
- le zeste de 1 orange non traitée

POUR LE GLAÇAGE

- 200 g de fromage frais
- 1 cuill. à café d'extrait de vanille
- 50 g de sucre glace

1 Préchauffez le four à 180 °C (therm. 6). Beurrez un moule carré de 23 cm de côté et tapissez-le de papier sulfurisé. Dans une casserole, faites fondre le beurre à feu doux avec le chocolat et le sucre pendant 15 minutes, en remuant régulièrement. Laissez refroidir 10 minutes. Séparez les jaunes d'œufs des blancs, puis incorporez les jaunes à la préparation, à l'aide d'un fouet. Ajoutez la farine, l'extrait de vanille et la moitié du zeste d'orange en brassant le tout avec soin.

2 Montez les blancs d'œufs en neige ferme, puis mélangez-en 1 cuillerée à la préparation. Incorporez délicatement le reste à l'aide d'une cuillère et versez la pâte dans le moule. Enfournez pour 25 minutes. Laissez refroidir dans le moule, puis coupez en carrés.

3 Préparez le glaçage : battez ensemble le fromage frais, l'extrait de vanille, le sucre glace et le reste du zeste d'orange, jusqu'à ce que le mélange soit lisse. Étalez le glaçage sur les brownies, laisser reposer quelques minutes, puis servez.

Ce gâteau moelleux au goût fruité se déguste aussi bien froid avec une tasse de thé que chaud, en dessert, avec une boule de glace.

Moelleux à la pêche et aux framboises

Pour 12 parts

Préparation et cuisson : 1 h 20

- 250 g de beurre
- 300 g de sucre blond
- 1 cuill. à café d'extrait de vanille
- 3 gros œufs
- 200 g de farine à levure incorporée
- 50 g d'amandes en poudre
- 1 pincée de sel
- 2 pêches mûres
- 100 g de framboises
- 1 poignée d'amandes effilées

POUR SERVIR

- 1 cuill. à soupe de sucre glace

1 Préchauffez le four à 180 °C (therm. 6). Beurrez un moule carré de 23 cm de côté et tapissez-le de papier sulfurisé. Dans une grande casserole, faites fondre le beurre à feu doux. Laissez-le refroidir 5 minutes, puis ajoutez le sucre, l'extrait de vanille et les œufs. Brassez le tout à l'aide d'une cuillère en bois, jusqu'à ce que le mélange soit homogène. Incorporez la farine, les amandes en poudre et le sel.

2 Versez la préparation dans le moule. Dénoyautez les pêches et coupez-les en tranches, puis déposez-les en couches régulières sur la pâte. Parsemez de framboises et d'amandes effilées. Enfournez pour 40 minutes, couvrez de papier aluminium et prolongez la cuisson de 20 à 30 minutes. Laissez refroidir 20 minutes dans le moule, puis démoulez sur une grille. Lorsque le gâteau est froid, saupoudrez-le de sucre glace et coupez-le en carrés.

Ces brownies seront encore meilleurs si vous les réchauffez brièvement au four à basse température avant de les servir.

Brownies au chocolat et aux noix

Pour 8 brownies
Préparation et cuisson : 45 min

- 100 g de chocolat noir
- 100 g de chocolat au lait
- 85 g de beurre
- 185 g de sucre roux
- 140 g de cerneaux de noix
- 3 gros œufs
- 140 g de farine

POUR LA CRÈME AU CHOCOLAT

- 100 g de chocolat noir
- 200 g de yaourt nature
- sel

1 Préchauffez le four à 180 °C (therm. 6). Tapissez de papier sulfurisé le fond d'un moule carré de 20 cm de côté. Cassez les deux chocolats en morceaux, puis faites-les fondre au bain-marie avec le beurre. Hors du feu, ajoutez le sucre roux, puis laissez refroidir.

2 Pendant ce temps, hachez grossièrement les noix, puis battez légèrement les œufs dans un bol. Incorporez au mélange à base de chocolat les œufs, la farine, les noix et 1 pincée de sel jusqu'à l'obtention d'une pâte homogène. Versez-la dans le moule, puis enfournez pour 30 minutes et laissez refroidir.

3 Préparez la crème au chocolat. Cassez le chocolat en morceaux et faites-le fondre au bain-marie à feu doux. Incorporez le yaourt, puis réservez le mélange au frais. Juste avant de servir, coupez le brownie en carré et servez la crème au chocolat dans des petites coupelles.

Cette recette est aussi bonne avec des groseilles à maquereau fraîches que surgelées, vous pouvez ainsi la préparer toute l'année !

Gâteau aux groseilles et aux amandes

Pour 8 personnes

Préparation et cuisson : 1 h 10

- 250 g de beurre froid
- 250 g de farine à levure incorporée
- 125 g d'amandes en poudre
- 125 g de sucre roux
- 350 g de groseilles à maquereau
- 85 g de sucre en poudre
- 50 g d'amandes effilées

1 Préchauffez le four à 190 °C (therm. 6-7). Tapissez un moule rectangulaire de 27 x 18 cm de papier sulfurisé. Coupez le beurre en petits morceaux, puis mélangez-les avec la farine, les amandes en poudre et le sucre roux, jusqu'à l'obtention d'une pâte sableuse. Tassez les deux tiers de la pâte sur le fond du moule. Mélangez les groseilles avec le sucre dans un saladier, puis répartissez-les sur la pâte.

2 Incorporez les amandes effilées au reste de la pâte et répartissez le tout sur les groseilles. Enfournez pour 1 heure, jusqu'à ce que le gâteau soit doré et que les fruits bouillonnent légèrement au bord du moule. Saupoudrez d'un peu de sucre en poudre et laissez refroidir dans le moule. Coupez en huit parts et servez.

Utilisez des vermicelles en sucre ou de jolies bougies pour apporter une touche de couleur à ce délicieux gâteau.

Gâteau d'anniversaire au chocolat

Pour 12 parts
Préparation et cuisson : 40 à 50 min

- 150 g de beurre mou + un peu pour le moule
- 175 g de sucre brun en poudre
- 2 œufs
- 200 g de farine avec levure incorporée
- 50 g de cacao en poudre
- 1 pincée de bicarbonate de soude
- 25 cl de yaourt nature

POUR LE GLAÇAGE

- 300 g de sucre glace
- 2 cuill. à soupe de cacao en poudre
- 1 cuill. à soupe de beurre fondu
- 2 cuill. à soupe d'eau bouillante

POUR SERVIR

- 50 g de carrés de chocolat noir
- 50 g de carrés de chocolat au lait
- 50 g de carrés de chocolat blanc

1 Préchauffez le four à 180 °C (therm. 6). Beurrez un moule à gâteau de 18 sur 28 cm et tapissez-le de papier sulfurisé.

2 Dans un saladier, malaxez le sucre et le beurre pour obtenir une pâte légère. Battez les œufs, puis incorporez-les en fouettant énergiquement. Ajoutez successivement, en les tamisant, la farine, le cacao et le bicarbonate de soude. Versez le yaourt et mélangez le tout jusqu'à ce que la préparation soit onctueuse. Versez-la dans le moule. Enfournez et laissez cuire de 20 à 25 minutes. Attendez 5 minutes avant de démouler le gâteau sur une grille pour le faire refroidir.

3 Préparez le glaçage : dans un saladier, tamisez le sucre glace et le cacao, versez le beurre fondu et l'eau bouillante, et mélangez jusqu'à ce que la préparation soit onctueuse. Si elle est trop épaisse, ajoutez quelques gouttes d'eau bouillante et remuez bien. Étalez ce glaçage sur le gâteau avec une spatule trempée dans de l'eau chaude.

4 Faites fondre séparément les 3 chocolats, puis, à l'aide d'une paille, dessinez des motifs sur le glaçage. Disposez des bougies et servez.

HAPPY

Le piment de la Jamaïque est une épice composée de graines séchées aux accents de girofle, de muscade, de cannelle et de poivre, issues des fruits d'un arbre d'Amérique centrale.

Gâteau aux épices et au sirop d'érable

Pour 16 parts
Préparation et cuisson : 1 h 20

- 250 g de beurre
- 250 g de sucre roux
- 250 g de sirop d'érable
- 30 cl de lait
- 2 gros œufs
- 100 g de gingembre au sirop
- 375 g de farine
- 2 cuill. à café de bicarbonate de soude
- 1 cuill. à café de piment de la Jamaïque
- 2 cuill. à café de gingembre en poudre

POUR LE GLAÇAGE

- 3 cuill. à café de sirop du gingembre au sirop
- 5 cuill. à café de sucre glace

1 Préchauffez le four à 160 °C (therm. 5-6). Beurrez un moule carré de 23 cm de côté et tapissez-le de papier sulfurisé. Dans une casserole, faites fondre le beurre avec le sucre et le sirop d'érable à feu doux. Hors du feu, incorporez successivement le lait et les œufs.

2 Hachez le gingembre au sirop et mettez-le dans un grand saladier. Ajoutez la farine, le bicarbonate de soude, le piment de la Jamaïque et le gingembre en poudre. Brassez le tout et creusez un puits au centre. Versez le contenu de la casserole dans le puits, puis mélangez jusqu'à l'obtention d'une pâte lisse. Répartissez-la dans le moule. Enfournez pour 1 heure, puis laissez refroidir dans le moule.

3 Préparez le glaçage : mélangez le sirop avec le sucre glace et versez-le en filaments sur le gâteau. Laissez prendre le glaçage, puis coupez en 16 carrés.

Variez les plaisirs en remplaçant la confiture de cerises par de la confiture de figues et les cerises confites par des figues sèches.

Amandine aux cerises

Pour 16 parts
Préparation et cuisson : 1 h

- 375 g de pâte brisée prête à l'emploi
- 100 g de beurre ramolli
- 100 g de sucre blond
- 1 gros œuf
- 50 g de cerneaux de noix
- 25 g de riz en poudre (en vente dans les épiceries asiatiques)
- 50 g d'amandes en poudre
- 50 g de noix de coco râpée
- 5 cuill. à soupe de confiture de cerises
- 100 g de cerises confites

1 Préchauffez le four à 180 °C (therm. 6) et tapissez le fond d'un moule rectangulaire de 18 x 27 cm de papier sulfurisé. Étalez la pâte dans le moule et réservez au frais.

2 Dans un saladier, fouettez le beurre avec le sucre. Battez l'œuf dans un bol et incorporez-le délicatement à la préparation jusqu'à ce qu'elle soit crémeuse. Hachez grossièrement les noix, puis ajoutez-les à la crème avec le riz en poudre, les amandes et la noix de coco. Sortez la pâte du réfrigérateur et garnissez-la de confiture, puis ajoutez la crème aux amandes sur le dessus à l'aide d'une cuillère à soupe.

3 Ajoutez les cerises confites, puis enfournez pour 45 minutes. Vérifiez la cuisson après 30 minutes – si le gâteau brunit trop vite, couvrez-le de papier sulfurisé. Laissez refroidir dans le moule, puis coupez en 16 parts.

Ce dessert associe le moelleux du gâteau aux carottes et le croquant de la noix de coco grillée… Un vrai bonheur pour les papilles !

Délices aux carottes et à la noix de coco

Pour 15 parts
Préparation et cuisson : 55 min

- 250 g de beurre
- 300 g de sucre roux
- 1 cuill. à café d'extrait de vanille
- 3 gros œufs
- 200 g de carottes
- 200 g de farine à levure incorporée
- 50 g de noix de coco râpée
- 2 cuill. à café de quatre-épices (ou cannelle, poivre, muscade, clous de girofle à parts égales)
- 1 pincée de sel

POUR LE NAPPAGE

- 25 g de beurre
- 85 g de noix de coco râpée
- 25 g de sucre roux

1 Préchauffez le four à 180 °C (therm. 6). Beurrez un moule rectangulaire de 20 x 30 cm et tapissez-le de papier sulfurisé. Dans une grande casserole, faites fondre le beurre à feu doux. Laissez-le refroidir 5 minutes, puis incorporez le sucre, l'extrait de vanille et les œufs à l'aide d'une cuillère en bois, jusqu'à ce que le mélange soit lisse. Râpez les carottes et ajoutez-les à la préparation avec la farine, la noix de coco, les épices et le sel. Brassez bien le tout, puis versez la pâte dans le moule et enfournez pour 30 minutes.

2 Pendant ce temps, préparez le nappage. Faites fondre le beurre. Mélangez la noix de coco avec le sucre et ajoutez le beurre fondu. Étalez la préparation sur le gâteau et prolongez la cuisson de 10 minutes. Laissez refroidir, puis coupez le gâteau.

Voici une version allégée du fameux brownie pour le plus grand bonheur de tous !

Brownies légers au chocolat et au café

Pour 12 brownies

Préparation et cuisson : 50 min

- 85 g de chocolat noir (à 70 % de cacao)
- huile végétale
- 85 g de farine
- 25 g de cacao en poudre
- 1/2 cuill. à café de bicarbonate de soude
- 100 g de sucre blond
- 50 g de sucre roux
- 1/2 cuill. à café de café instantané
- 1 cuill. à café d'extrait de vanille
- 2 cuill. à soupe de babeurre
- 2 œufs
- 1 cuill. à soupe d'eau chaude

1 Préchauffez le four à 180 °C (therm. 6). Dans une grande casserole, faites fondre le chocolat, puis laissez-le refroidir. Pendant ce temps, huilez un moule carré de 19 cm de côté et tapissez le fond de papier sulfurisé. Dans un saladier, mélangez la farine avec le cacao et le bicarbonate de soude. Incorporez au chocolat fondu les deux sucres, le café, l'extrait de vanille et le babeurre. Battez les œufs dans un bol, puis ajoutez-les dans la casserole avec l'eau chaude. Remuez jusqu'à ce que la préparation soit lisse et brillante, puis incorporez délicatement le mélange de farine et de cacao à l'aide d'une spatule.

2 Versez la pâte dans le moule et enfournez pour 30 minutes. Laissez refroidir complètement, puis démoulez sur une planche à découper. Ôtez le papier sulfurisé et coupez en douze carrés.

Le baklava est une pâtisserie orientale composée de pâte filo fourrée d'amandes, de pistaches ou de noix de cajou.

Baklavas aux noix et aux épices

Pour 16 baklavas
Préparation et cuisson : 50 min

- 200 g de cerneaux de noix
- 50 g de sucre en poudre
- 1 cuill. à café bombée de cannelle en poudre
- 1/2 cuill. à café de clous de girofle
- 12 feuilles de pâte filo
- 100 g de beurre

POUR LE SIROP

- 140 g de sucre en poudre
- 25 cl d'eau chaude
- 2 cuill. à soupe d'eau de rose

1 Préparez le sirop : dans une casserole à feu doux, délayez le sucre avec l'eau, puis faites bouillir 15 minutes, jusqu'à l'obtention d'un sirop épais, mais non coloré. Incorporez l'eau de rose et laissez refroidir.

2 Pendant ce temps, beurrez légèrement un moule rectangulaire de 15 x 25 cm. Hachez les noix et mélangez-les avec le sucre et les épices. Étalez les feuilles de pâte filo, sans les séparer, et découpez dans la pâte un rectangle de la taille du moule.

3 Préchauffez le four à 180 °C (therm. 6). Faites fondre le beurre, badigeonnez-en quatre feuilles de pâte filo et placez-les au fond du moule. Versez la moitié de la garniture dans le moule et répétez l'opération en alternant 4 feuilles de pâte filo beurrées, le reste de la garniture, puis 4 feuilles de pâte filo beurrées. Découpez des losanges sur toute l'épaisseur des couches. Enfournez et laissez cuire de 15 à 20 minutes, jusqu'à ce que la pâte soit dorée. Arrosez de sirop et laissez refroidir.

Voilà comment transformer un brownie classique
en gâteau de Halloween !

Gâteau au chocolat pour Halloween

Pour 12 parts
Préparation et cuisson : 2h45

- 1 blanc d'œuf
- 50 g de sucre glace
- 85 g de cacao en poudre
- 200 g de farine à levure incorporée
- 375 g de sucre roux
- 4 gros œufs
- 20 cl de lait
- 20 cl d'huile végétale

POUR SERVIR
- 20 cl de crème fraîche liquide
- 200 g de chocolat noir
- 7 gâteaux secs
- 100 g de cookies au chocolat
- 25 g de chocolat blanc
- perles argentées en sucre

1 Préchauffez le four à 110 °C (therm. 3-4). Tapissez une plaque de cuisson de papier sulfurisé. Montez le blanc en neige, puis ajoutez le sucre glace en fouettant, jusqu'à l'obtention d'une meringue ferme. Versez la meringue dans un sac de congélation. Coupez un des angles du sac et formez 15 petits tas sur la plaque de cuisson. Enfournez pour 1 heure.

2 Graissez un moule de 20 x 30 cm et tapissez-le de papier sulfurisé. Réglez le four à 180 °C (therm. 6). Tamisez le cacao, la farine et le sucre au-dessus d'un saladier. Dans un bol, mélangez les œufs avec le lait et l'huile, puis incorporez-les aux ingrédients secs. Versez la préparation dans le moule, enfournez pour 30 minutes et laissez refroidir.

3 Dans une casserole, portez la crème fraîche à ébullition. Cassez le chocolat noir, puis, hors du feu, incorporez-le à la crème. Badigeonnez les gâteaux secs de crème chocolatée, puis étalez le reste sur le gâteau. Écrasez les cookies et parsemez-en le dessus du gâteau. Faites fondre le chocolat blanc, laissez-le refroidir 10 minutes, puis utilisez-le pour coller 2 perles en sucre sur chaque fantôme et écrire sur les gâteaux secs. Laissez durcir le chocolat blanc et servez.

BOO
RIP
BOO
RIP

Le glaçage fondant de ce gâteau est parfait pour décorer un gâteau d'anniversaire.

Moelleux aux pépites de chocolat

Pour 15 parts

Préparation et cuisson : 55 min

- 250 g de beurre
- 300 g de sucre blond
- 1 cuill. à café d'extrait de vanille
- 3 gros œufs
- 200 g de farine à levure incorporée
- 50 g de cacao en poudre
- 1 pincée de sel
- 100 g de pépites de chocolat au lait

POUR LE GLAÇAGE

- 85 g de beurre
- 85 g de sucre blond
- 200 g de lait concentré écrémé
- 50 g de pépites de chocolat au lait

POUR SERVIR

- 30 g de pépites de chocolat au lait

1 Préchauffez le four à 180 °C (therm. 6). Beurrez un moule de 20 x 30 cm et tapissez-le de papier sulfurisé. Dans une grande casserole, faites fondre le beurre à feu doux, puis laissez-le refroidir 5 minutes. Ajoutez le sucre, l'extrait de vanille et les œufs, puis remuez à l'aide d'une cuillère en bois, jusqu'à ce que le mélange soit lisse. Incorporez la farine, le cacao, 1 pincée de sel et les pépites de chocolat à la préparation. Enfournez pour 35 minutes.

2 Préparez le glaçage. Dans une casserole, faites fondre le beurre avec le sucre à feu doux. Versez le lait concentré et portez à ébullition. Laissez cuire 5 minutes, puis ajoutez 50 g de pépites de chocolat et mélangez jusqu'à ce qu'elles aient fondu. Étalez le glaçage sur le gâteau froid. Décorez avec des pépites de chocolat et coupez 15 carrés.

Ce gâteau traditionnel peut se servir chaud avec de la crème anglaise, ou froid, lors d'un pique-nique.

Pudding aux fruits secs et aux épices

Pour 9 parts
Préparation et cuisson : 1 h 40
Macération : 15 min

- 500 g de pain blanc ou complet
- 500 g de fruits secs mélangés
- 85 g de mélange d'écorces confites
- 1 cuill. à soupe de quatre-épices (ou cannelle, poivre, muscade, clous de girofle à parts égales)
- 60 cl de lait
- 2 gros œufs
- 140 g de sucre roux
- le zeste de 1 citron non traité (facultatif)
- 100 g de beurre
- 2 cuill. à soupe de sucre demerara

1 Émiettez le pain au-dessus d'un grand saladier. Ajoutez les fruits secs, les écorces confites, les épices et le lait, puis malaxez avec les doigts pour bien mélanger tous les ingrédients. Battez les œufs, puis incorporez-les à la préparation avec le sucre roux et, si vous le souhaitez, le zeste de citron. Mélangez bien et laissez macérer 15 minutes.

2 Préchauffez le four à 180 °C (therm. 6). Beurrez un moule antiadhésif de 20 cm de côté et tapissez le fond de papier sulfurisé. Faites fondre le beurre, puis ajoutez-le dans le saladier et mélangez bien l'ensemble. Versez la pâte dans le moule et saupoudrez de sucre demerara. Enfournez pour 1 h 30, jusqu'à ce que le gâteau soit ferme et doré, en le couvrant d'une feuille d'aluminium s'il brunit trop vite. Démoulez le pudding, coupez-le en 9 carrés et servez chaud.

La pâte d'amande est idéale pour réaliser le fond d'une tarte aux fruits. Cette recette peut se faire avec des pommes, des prunes ou des abricots, selon la saison.

Tartelettes aux fraises et aux amandes

Pour 6 tartelettes
Préparation et cuisson : 50 min

- 375 g de pâte feuilletée prête à l'emploi
- 25 g de beurre
- 200 g de pâte d'amande
- 400 g de fraises
- 25 g de sucre blond

POUR SERVIR
- 25 g d'amandes effilées
- glace à la vanille

1 Préchauffez le four à 200 °C (therm. 6-7). Déroulez la pâte feuilletée, piquez-la à l'aide d'une fourchette, puis coupez-la en six rectangles et posez-les sur une plaque de cuisson antiadhésive.

2 Faites fondre le beurre dans une casserole, puis prélevez-en un peu pour en badigeonner les bords des tartelettes. Coupez la pâte d'amande en tranches fines et déposez-les deux par deux sur chaque rectangle de pâte. Équeutez les fraises, tranchez-les, puis disposez-les sur les tartelettes. Arrosez du reste de beurre fondu et saupoudrez de sucre. Enfournez et laissez cuire de 20 à 25 minutes, jusqu'à ce que la pâte soit dorée. Dans une poêle antiadhésive, faites griller à sec les amandes, puis parsemez-en les tartelettes. Servez chaud, avec une boule de glace à la vanille.

Si vous n'avez pas de moules à tartelettes, utilisez une tourtière de 23 cm de diamètre et prévoyez une cuisson de 40 minutes.

Tartelettes aux noix de pécan

Pour 6 tartelettes
Préparation et cuisson : 50 min

- 175 g de cerneaux de noix de pécan
- 50 g de beurre
- 4 gros œufs
- 85 g de sucre roux
- 175 g de sirop d'érable
- 1 cuill. à café d'extrait de vanille
- 2 cuill. à soupe de bourbon (ou d'un autre whisky)

POUR LA PÂTE

- 150 g de beurre
- 300 g de farine
- 50 g de sucre blond

POUR SERVIR

- crème fraîche épaisse

1 Préchauffez le four à 190 °C (therm. 6-7). Préparez la pâte. Faites fondre le beurre, laissez-le refroidir, puis mélangez-le du bout des doigts avec la farine et le sucre, jusqu'à l'obtention d'une pâte homogène. Pressez la pâte contre le fond et les bords de six moules à tartelettes, puis déposez-les sur une plaque de cuisson.

2 Réservez 18 cerneaux de noix de pécan et hachez grossièrement le reste. Faites fondre le beurre, puis mélangez-le avec les œufs, le sucre, le sirop d'érable, l'extrait de vanille, le bourbon et les noix hachées. Versez cette préparation sur les fonds de tartes, puis posez trois cerneaux de noix sur chaque tartelette. Enfournez pour 25 minutes, jusqu'à ce que la pâte soit dorée – la garniture gonfle lors de la cuisson et retombe en refroidissant. Servez avec un peu de crème fraîche.

Ces mini-tourtes sont garnies de simples fruits secs et épices.

Mini-tourtes aux épices et aux raisins secs

Pour 24 mini-tourtes
Préparation et cuisson : 1 h
Réfrigération : 30 min

- 300 g d'amandes en poudre
- 250 g de sucre blond
- 100 g de raisins de Corinthe
- 100 g de raisins de Smyrne
- 50 g d'amandes effilées
- 2 cuill. à café de cannelle en poudre
- 1 cuill. à café de noix de muscade
- 1 cuill. à café de quatre-épices (ou cannelle, poivre, muscade, clous de girofle à parts égales)
- 200 g de beurre
- 4 gros œufs
- le zeste et le jus de 1 citron et 1 orange non traités

POUR LA PÂTE

- 250 g de beurre salé froid
- 450 g de farine
- 25 g d'amandes en poudre
- 50 g de sucre blond
- 1 jaune d'œuf
- 15 cl d'eau

POUR SERVIR

- sucre glace

1 Préparez la pâte. Coupez le beurre en morceaux et mélangez-les avec la farine dans un saladier, jusqu'à l'obtention d'une pâte sableuse, puis incorporez les amandes et le sucre. Battez le jaune d'œuf dans un bol et versez-le dans le saladier avec l'eau. Mélangez jusqu'à l'obtention d'une pâte souple. Réservez au frais pendant 30 minutes.

2 Pendant ce temps, préchauffez le four à 200 °C (therm. 6-7). Dans un grand saladier, mélangez ensemble les amandes en poudre, le sucre, les raisins secs, les amandes effilées et les épices. Faites fondre le beurre et battez les œufs, puis ajoutez-les dans le saladier. Incorporez le zeste des agrumes à la préparation avec leur jus.

3 Farinez le plan de travail, puis étalez la pâte sur 5 mm d'épaisseur. Coupez 24 cercles de pâte avec un emporte-pièce de 10 cm de diamètre et disposez-les dans les alvéoles d'un moule à muffins. Ajoutez la garniture, puis enfournez pour 25 minutes. Démoulez sur une grille. Saupoudrez de sucre glace et servez chaud ou froid.

Le mincemeat est une spécialité typiquement anglaise.
Il s'agit d'une compotée de fruits secs et d'épices.

Tartelettes aux fruits secs et à l'orange

Pour 24 tartelettes
Préparation et cuisson : 40 min
Réfrigération : 15 min

- 200 g de beurre froid
- 400 g de farine
- 100 g de sucre blond
- 100 g d'amandes en poudre
- le zeste de 2 oranges non traitées
- 2 cuill. à soupe de lait ou de jus d'orange
- 100 g de canneberges surgelées
- 410 g de *mincemeat* (au rayon « produits du monde »)
- 1 poignée d'amandes effilées

POUR SERVIR
- 20 cl de crème fraîche
- 3 cuill. à café de sucre glace

1 Coupez le beurre en dés et mettez-les dans le bol d'un robot avec la farine, puis mixez jusqu'à ce que le mélange soit homogène. Incorporez le sucre, les amandes en poudre et la moitié du zeste d'orange. Ajoutez le lait et mixez jusqu'à l'obtention d'une pâte homogène. Placez la pâte 15 minutes au frais.

2 Préchauffez le four à 200 °C (therm. 6-7). Farinez le plan de travail, puis étalez la pâte sur 3 mm d'épaisseur. Découpez 24 cercles à l'aide d'un emporte-pièce de 8 cm de diamètre et disposez-les dans les moules à tartelettes.

3 Dans un saladier, mélangez les canneberges avec le mincemeat, puis répartissez la préparation sur les fonds de tartelette. Parsemez d'amandes effilées, puis enfournez pour 20 minutes. Dans un bol, mélangez la crème fraîche avec 2 cuillerées à café de sucre glace et le reste de zeste d'orange. Saupoudrez les tartelettes du reste de sucre glace et servez-les avec la crème.

Ces viennoiseries conviennent aussi bien au petit déjeuner qu'au goûter.

Petits pains à la cannelle et aux noix de pécan

Pour 16 petits pains
Préparation et cuisson : 1 h
Repos de la pâte : 1 h 30

- 2 cuill. à café de cannelle en poudre
- 135 g de vergeoise
- 200 g de cerneaux de noix de pécan
- 125 g de beurre
- 15 cl de sirop d'érable

POUR LA PÂTE

- 450 g de farine T55
- 50 g de sucre blond
- 1 cuill. à café de sel
- 85 g de beurre froid
- 2 gros œufs
- 7 g de levure de boulangerie
- 15 cl de lait entier

1 Préparez la pâte. Dans un saladier, mélangez la farine avec le sucre et le sel. Coupez le beurre en morceaux et incorporez-les au mélange. Battez les œufs dans un bol et ajoutez-les dans le saladier avec la levure et le lait, puis mélangez jusqu'à l'obtention d'une pâte souple. Pétrissez-la pendant 10 minutes. Graissez un récipient et mettez la pâte dedans. Couvrez, puis laissez reposer 1 heure.

2 Pendant ce temps, dans le bol d'un robot, mixez la cannelle, 85 g de vergeoise et 100 g de noix de pécan. Pétrissez la pâte, divisez-la en deux, puis étalez-la en deux rectangles de 25 x 35 cm. Faites fondre le beurre et badigeonnez-en la pâte avec la moitié. Répartissez la garniture sur chaque rectangle, roulez-les, puis pincez-les pour qu'ils ne se déroulent pas et découpez chacun d'eux en huit.

3 Préchauffez le four à 180 °C (therm. 6). Hachez le reste de noix de pécan, mélangez-les avec le beurre et la vergeoise restants, le sirop d'érable, puis étalez le tout sur deux plaques de cuisson graissées. Posez les petits pains dessus, en les espaçant bien. Couvrez d'un film alimentaire et laissez reposer 30 minutes. Enfournez pour 30 minutes et servez chaud.

Servez ces tartelettes avec du thé ou en dessert.

Tartelettes à la crème et aux myrtilles

Pour 24 tartelettes
Préparation et cuisson : 45 min

- 100 g de beurre ramolli
- 100 g de sucre blond
- 100 g de noisettes émondées
- 250 g de mascarpone
- 2 ou 3 cuill. à soupe de lait
- 3 cuill. à soupe de *lemon curd* (crème anglaise à base de citron)

POUR SERVIR

- 25 g de sucre blond
- 1 cuill. à soupe d'eau
- 250 g de myrtilles

1 Préchauffez le four à 180 °C (therm. 6). Battez le beurre avec le sucre à l'aide d'une cuillère en bois, jusqu'à ce que le mélange soit crémeux. Dans le bol d'un robot, réduisez les noisettes en poudre, puis incorporez-les à la préparation.

2 Versez 1 cuillerée à café bombée du mélange dans les douze alvéoles d'un moule à muffins antiadhésif. Enfournez pour 10 minutes, jusqu'à ce que les fonds de tartelettes soient dorés et légèrement gonflés. Laissez durcir 5 minutes puis démoulez à l'aide d'un couteau.

3 Dans un saladier, fouettez le mascarpone avec le lait jusqu'à ce que le mélange soit crémeux. Incorporez le lemon curd, puis garnissez les fonds de tartelette de cette préparation.

4 Délayez le sucre avec l'eau dans une casserole à feu moyen, portez à ébullition et laissez bouillir 30 secondes. Hors du feu, incorporez les myrtilles et laissez refroidir. Répartissez les fruits sur la crème au mascarpone et servez.

Ces tartelettes se dégustent légèrement chauffées, lorsque le cœur est fondant.

Tartelettes fondantes au chocolat et aux noix de macadamia

Pour 4 tartelettes
Préparation et cuisson : 1 h
Congélation : 30 min

- 375 g de pâte sablée prête à l'emploi
- 200 g de chocolat noir
- 85 g de noix de macadamia
- 2 cuill. à soupe de crème fraîche épaisse
- 1 cuill. à soupe d'amaretto ou de cognac (facultatif)
- 2 gros œufs + 1 jaune d'œuf
- 50 g de sucre en poudre

POUR SERVIR
- sucre glace

1 Déroulez la pâte et tapissez-en quatre moules à tartelette. Réservez les fonds de tartelettes au congélateur pendant 30 minutes. Préchauffez le four à 190 °C (therm. 6-7). Couvrez les fonds des tartelettes de papier sulfurisé et garnissez-les de haricots secs, puis enfournez pour 15 minutes. Ôtez les haricots et le papier sulfurisé et prolongez la cuisson de 3 à 5 minutes, jusqu'à ce que la pâte ait la consistance d'un biscuit.

2 Cassez le chocolat noir et hachez les noix de macadamia. Dans un saladier résistant à la chaleur, réunissez le chocolat, la crème fraîche et éventuellement l'alcool, puis faites chauffer le tout au bain-marie. Fouettez les œufs entiers et le jaune d'œuf avec le sucre, jusqu'à ce que le mélange soit mousseux. Ajoutez le chocolat fondu et les trois quarts des noix hachées, puis mélangez.

3 Versez la préparation sur les fonds de tartelettes, parsemez du reste de noix, puis enfournez pour 12 minutes. Saupoudrez de sucre glace et servez.

Ces petites brioches anglaises sont traditionnellement servies à Pâques.

Brioches épicées aux fruits secs

Pour 9 brioches
Préparation et cuisson : 55 min
Repos de la pâte : 1 h 30 à 1 h 45

- 450 g de farine T55
- 1/2 cuill. à café de sel
- 50 g de beurre froid
- le zeste de 1 citron non traité
- 7 g de levure instantanée
- 2 cuill. à café de quatre-épices (ou cannelle, poivre, muscade, clous de girofle à parts égales)
- 50 g de sucre blond
- 25 cl de lait tiède
- 2 gros œufs
- 50 g de cerises confites
- 150 g de fruits secs mélangés

POUR LE GLAÇAGE

- lait froid
- 2 cuill. à soupe de farine
- 5 à 6 cuill. à café d'eau froide

POUR SERVIR

- sirop d'érable

1 Dans un saladier, mélangez la farine avec le sel, puis coupez le beurre en dés et incorporez-les à la farine. Ajoutez le zeste de citron dans le saladier avec la levure, les épices et le sucre. Brassez le tout, puis versez le lait. Battez les œufs dans un bol et incorporez-les au mélange, jusqu'à l'obtention d'une pâte. Pétrissez pendant 10 minutes, couvrez et laissez reposer 1 heure.

2 Farinez le plan de travail, puis étalez la pâte en formant un grand cercle. Coupez les cerises en deux, puis placez-les au milieu de la pâte avec les fruits secs. Pétrissez avec soin l'ensemble, puis façonnez 9 boules avec la pâte.

3 Préchauffez le four à 200 °C (therm. 6-7). Découpez neuf carrés de 14 cm de côté dans du papier sulfurisé et disposez-les dans les alvéoles d'un moule à muffins. Déposez 1 boule de pâte sur chaque carré. Couvrez d'un film alimentaire huilé et laissez reposer 40 minutes.

4 Badigeonnez la pâte de lait. Délayez la farine avec l'eau et tracez une croix sur chaque brioche avec le mélange, puis enfournez pour 15 minutes. Enduisez les brioches de sirop d'érable et laissez refroidir.

Cette recette originale se prépare avec les mêmes ingrédients qu'une tarte aux fruits.

Chaussons aux pommes et aux mûres

Pour 4 chaussons
Préparation et cuisson : 35 min

- sucre glace
- 425 g de pâte brisée prête à l'emploi
- 2 pommes de type bramley
- 2 cuill. à soupe de vergeoise
- 150 g de mûres

POUR SERVIR

- crème fraîche épaisse

1 Préchauffez le four à 200 °C (therm. 6-7). Saupoudrez le plan de travail de sucre glace, puis déroulez la pâte dessus et découpez quatre cercles à l'aide d'un emporte-pièce de 10 cm de diamètre.

2 Pelez, évidez et hachez les pommes, puis mettez-les dans un saladier avec la vergeoise et les mûres. Mélangez bien le tout et répartissez le mélange sur les cercles de pâte. Humidifiez les bords des cercles, puis rabattez la pâte sur la garniture et pincez les bords pour les souder. Pratiquez trois entailles sur chaque chausson, puis déposez-les sur une plaque de cuisson. Enfournez pour 20 minutes, jusqu'à ce que les chaussons aient gonflé et doré. Servez avec de la crème fraîche.

Beignets à la framboise

Pour 20 beignets
Préparation et cuisson : 45 min
Repos de la pâte : 3 h 10

- 250 g de farine
- 1 cuill. à café de levure
- 50 g de sucre blond
- 1/2 cuill. à café de sel
- 15 cl de lait
- 50 g de beurre
- 2 jaunes d'œufs
- 370 g de confiture de framboises

POUR SERVIR
- 50 g de beurre
- 50 g de sucre blond

1 Dans un saladier, mélangez la farine avec la levure, le sucre et le sel. Faites chauffer le lait et fondre le beurre, puis battez-les au fouet avec les jaunes d'œufs. Versez le tout dans le saladier de farine et mélangez jusqu'à l'obtention d'une pâte homogène. Laissez reposer 10 minutes.

2 Farinez un plan de travail. Pétrissez la pâte pendant 5 minutes, puis transférez-la dans un saladier huilé. Couvrez et laissez reposer 2 heures au chaud.

3 Préchauffez le four à 190 °C (therm. 6-7). Pétrissez la pâte, puis divisez-la en boules de la taille d'une noix et déposez-les sur une plaque de cuisson, en les espaçant bien. Couvrez bien et laissez lever la pâte pendant 1 heure, puis enfournez pour 15 minutes.

4 Faites fondre le beurre dans une casserole et versez le sucre dans un bol. Laissez refroidir les beignets quelques minutes, puis badigeonnez-les de beurre fondu et roulez-les dans le sucre. Fourrez les beignets de confiture à l'aide d'une douille ou servez-les chauds, accompagnés de confiture.

La « clotted cream » est une sorte de crème très épaisse, typique du Sud-Ouest de l'Angleterre. Si vous n'en trouvez pas, passez-vous en, vos brioches seront toujours délicieuses !

Brioches à la crème et à la confiture

Pour 12 brioches
Préparation et cuisson : 50 min
Repos de la pâte : 1 h 50

- 600 g de farine T55
- 50 g de beurre ramolli
- 1 cuill. à soupe de levure
- 1 cuill. à café de sel
- 2 cuill. à café de sucre en poudre
- 40 cl de lait entier
- confiture de fraises
- 250 g de *clotted cream* (en épicerie anglaise)

POUR SERVIR

- sucre glace

1 Dans un grand saladier, malaxez la farine avec le beurre jusqu'à l'obtention d'une pâte sableuse. Incorporez la levure, 1 cuillerée à café de sel et le sucre. Faites chauffer le lait, puis versez-le dans le saladier et mélangez le tout jusqu'à l'obtention d'une pâte souple. Farinez le plan de travail et pétrissez la pâte pendant 10 minutes, en la saupoudrant de farine si elle est trop collante. Transférez dans un saladier beurré, couvrez de film alimentaire et laissez reposer 1 heure au chaud.

2 Préchauffez le four à 220 °C (therm. 7-8). Pétrissez brièvement la pâte, puis divisez-la en douze boules. Déposez-les sur deux plaques de cuisson graissées. Couvrez et laissez lever la pâte pendant 50 minutes.

3 Enfournez pour 20 minutes, puis laissez refroidir sur une grille. Coupez les brioches en deux, tartinez-les de confiture, ajoutez de la clotted cream, refermez-les, saupoudrez-les de sucre glace et servez.

Rapides à préparer, ces tartelettes offrent des textures variées grâce à l'association d'une pâte feuilletée, de crème anglaise et de fruits secs.

Tartelettes aux fruits secs et aux amandes

Pour 16 à 18 tartelettes
Préparation et cuisson : 25 min

- 300 g de crème anglaise
- 6 cuill. à soupe d'amandes en poudre
- 375 g de pâte feuilletée prête à l'emploi
- 410 g de mincemeat (au rayon « produits du monde »)
- amandes effilées

POUR SERVIR
- sucre glace

1 Préchauffez le four à 220 °C (therm. 7-8). Mélangez la crème anglaise avec les amandes en poudre.

2 Déroulez la pâte feuilletée, puis découpez des cercles à l'aide d'un emporte-pièce de 7 cm de diamètre. Pétrissez les chutes de pâte et répétez l'opération de manière à obtenir 16 à 18 cercles de pâte, puis disposez-les dans les alvéoles d'un moule à muffins.

3 Déposez 1 cuillerée à café bombée de crème aux amandes sur chaque fond de tartelette, puis ajoutez 1 cuillerée à café de mincemeat et parsemez d'amandes effilées. Enfournez pour 10 minutes, laissez refroidir quelques minutes, puis saupoudrez de sucre glace et servez tiède.

En Alsace et en Allemagne, ces brioches sont servies à Noël.

Brioches épicées aux amandes

Pour 14 brioches
Préparation et cuisson : 1 h
Repos de la pâte : 50 min

- 500 g de farine T55
- 45 g de sucre roux
- 1 cuill. à soupe de levure chimique
- 3 cuill. à café de quatre-épices (ou cannelle, poivre, muscade, clous de girofle à parts égales)
- 1 cuill. à café de sel
- 85 g de beurre ramolli
- 20 cl + 1 cuill. à soupe de lait
- 1 cuill. à soupe de mélasse
- 2 cuill. à soupe de cognac
- 2 gros œufs
- 2 cuill. à soupe d'huile de tournesol ou d'huile végétale
- 250 g de raisins secs, d'écorce confite et de cerises confites
- le zeste de 1 orange et de 1 citron non traités
- 400 g de pâte d'amande blanche
- 1 poignée d'amandes effilées

POUR SERVIR

- 50 g de sucre glace
- 4 cuill. à soupe d'eau chaude

1 Dans un saladier, mélangez la farine, le sucre, la levure, les épices, le sel et le beurre. Faites chauffer 20 cl de lait avec la mélasse et le cognac, ajoutez 1 œuf et l'huile dans la casserole, remuez, puis incorporez le tout à la préparation. Réservez pendant 10 minutes, farinez un plan de travail et pétrissez brièvement la pâte. Couvrez et réservez 30 minutes.

2 Étalez la pâte. Hachez les cerises confites, mélangez-les aux autres fruits secs et confits, ajoutez les zestes d'agrumes, transférez le tout sur la pâte et pétrissez. Étalez-la en un long rectangle, puis humidifiez ses bords. Roulez la pâte d'amande en un boudin, posez-le sur la pâte, enroulez cette dernière autour et pincez-la pour la souder.

3 Préchauffez le four à 200 °C (therm. 6-7). Coupez le rouleau en 14 rondelles et posez-les sur des plaques de cuisson tapissées de papier sulfurisé en les espaçant bien. Couvrez et réservez jusqu'à ce que la pâte ait gonflé. Battez l'œuf restant avec le reste de lait et badigeonnez-en les brioches. Parsemez d'amandes et enfournez pour 15 minutes. Délayez le sucre glace avec l'eau, badigeonnez-en les brioches et servez.

La pâte de ces tartelettes s'étale sans rouleau à pâtisserie !

Mini-tartelettes aux noix de pécan

Pour 12 mini-tartelettes
Préparation et cuisson : 40 min
Réfrigération : 10 min

- 85 g de cerneaux de noix de pécan
- 15 g de beurre
- 1 jaune d'œuf
- 50 g de vergeoise
- 2 cuill. à soupe de sirop d'érable
- 1/2 cuill. à café d'extrait de vanille
- 1 pincée de sel

POUR LA PÂTE

- 50 g de cerneaux de noix de pécan
- 50 g de fromage frais
- 50 g de beurre ramolli
- 50 g de farine
- 1 pincée sel

POUR SERVIR (FACULTATIF)

- crème fraîche
- sirop d'érable

1 Préparez la pâte. Dans le bol d'un robot, mixez les noix de pécan. Ajoutez le fromage frais, le beurre, la farine et le sel, puis mixez jusqu'à l'obtention d'une pâte. Farinez vos mains, divisez la pâte en douze petites boules et disposez-les dans les alvéoles d'un moule à muffins. Tapissez les alvéoles de pâte et réservez au frais pendant 10 minutes.

2 Préchauffez le four à 180 °C (therm. 6). Dans une poêle antiadhésive, faites griller à sec les noix de pécan, puis réservez 6 cerneaux et hachez grossièrement le reste. Faites fondre le beurre et fouettez-le avec le jaune d'œuf, la vergeoise, le sirop d'érable, l'extrait de vanille et le sel. Incorporez les noix de pécan hachées au mélange.

3 Enfournez le moule pour 5 minutes. Déposez 1 ou 2 cuillerées à café de garniture et un demi-cerneau de noix sur chaque fond de tartelette, puis prolongez la cuisson de 20 minutes. Servez tiède, éventuellement avec de la crème fraîche et du sirop d'érable.

Cette variante du strudel aux pommes est excellente avec un bon café et un peu de crème fraîche.

Triangles croustillants aux pommes et aux raisins secs

Pour 6 triangles
Préparation et cuisson : 40 min

- 3 pommes à couteau (reinette par exemple)
- le zeste et le jus de 1/2 citron non traité
- 50 g de raisins secs
- 1 cuill. à soupe de sucre roux
- 1/2 cuill. à café de quatre-épices (ou cannelle, poivre, muscade, clous de girofle à parts égales)
- 40 g de beurre
- 6 feuilles de pâte filo de 48 x 30 cm
- graines de sésame

1 Préchauffez le four à 200 °C (therm. 6-7). Pelez, évidez et hachez les pommes, puis mettez-les dans une poêle avec le zeste et le jus de citron, les raisins, le sucre et les épices. Couvrez, faites cuire à feu doux pendant 10 minutes, puis laissez légèrement refroidir.

2 Faites fondre le beurre, puis badigeonnez-en légèrement une feuille de pâte filo. Pliez-la feuille en trois dans le sens de la longueur pour former une bande. Déposez 1 cuillerée à soupe de garniture à 4 cm du haut de la bande. Rabattez l'angle supérieur gauche de la pâte vers la droite et continuez à la plier pour former un triangle. Répétez l'opération avec les autres feuilles de pâte filo et la garniture restante.

3 Transférez les triangles sur une plaque de cuisson graissée. Badigeonnez-les de beurre fondu, parsemez-les de graines de sésame et enfournez pour 15 minutes. Servez chaud.

Si vous préférez confectionner 8 mini-tartelettes, plutôt que 4 tartes, réduisez le temps de cuisson de quelques minutes.

Tartelettes à la rhubarbe

Pour 4 tartelettes
Préparation et cuisson : 40 min

- 5 tiges de rhubarbe
- 1 cuill. à café de cannelle en poudre
- 3 cuill. à soupe de farine
- 5 cuill. à soupe de vergeoise
- 250 g de pâte feuilletée en bloc
- 45 g de beurre
- 50 g de flocons d'avoine

1 Préchauffez le four à 200 °C (therm. 6-7). Coupez la rhubarbe en tronçons de 3 cm, puis mettez-les dans un saladier avec la cannelle, 1 cuillerée à soupe de farine, 2 cuillerées à soupe de vergeoise et mélangez le tout. Tapissez une plaque de cuisson de papier sulfurisé, puis farinez un plan de travail. Étalez la pâte de manière à former un rectangle de 20 x 30 cm. Coupez-le en quatre et transférez les rectangles sur la plaque de cuisson.

2 Mélangez le reste de la farine et de la vergeoise avec le beurre et les flocons d'avoine jusqu'à l'obtention d'une pâte sableuse. Garnissez les fonds de tarte de rhubarbe, en laissant un espace de 1 cm autour, puis parsemez de préparation à base de flocons d'avoine et repliez les angles des tartelettes pour retenir la garniture. Enfournez et laissez cuire 25 minutes, puis servez chaud.

Index

Crédits photographiques

L'éditeur remercie les personnes suivantes pour l'avoir autorisé à reproduire leurs photographies. En dépit de tous ses efforts pour lister les copyrights, l'éditeur présente par avance ses excuses pour d'éventuels oublis ou erreurs, et s'engage à en faire la correction dès la première réimpression du présent ouvrage.

Marie-Louise Avery p. 67, p. 77, p. 163, p. 183, p. 189; Iain Bagwell p. 145; Steve Baxter p. 173; Peter Cassidy p. 11, p. 21; Jean Cazals p. 31, p. 149; Gus Filgate p. 147; Ian Garlick p. 53; Michelle Garrett p. 55; Will Heap p. 65; William Lingwood p. 105; Gareth Morgans p. 15, p. 51, p. 87, p. 121, p. 129, p. 175; David Munns p. 25, p. 49, p. 61, p. 69, p. 83, p. 85, p. 97, p. 139, p. 155, p. 171, p. 181, p. 191, p. 209, p. 211; Noel Murphy p. 125; Myles New p. 29, p. 41, p. 43, p. 59, p. 79, p. 127, p. 131, p. 167, p. 187, p. 193, p. 197; Lis Parsons p. 19, p. 35, p. 37, p. 39, p. 47, p. 57, p. 93, p. 103, p. 107, p. 115, p. 117, p. 159, p. 165; Roger Stowell p. 151, p. 195; Yuki Sugiura p. 13, p. 81; Adrian Taylor p. 27, p. 141; Debi Treloar p. 199; Dawie Verwey p. 91; Philip Webb p. 17, p. 33, p. 45, p. 73, p. 75, p. 101, p. 111, p. 113, p. 119, p. 123, p. 125, p. 137, p. 143, p. 157, p. 161, p. 169, p. 177, p. 179, p. 203, p. 205; Simon Wheeler p. 63, p. 95, p. 133, p. 153, p. 185, p. 201, Elizabeth Zeschin p. 109.

Toutes les recettes de ce livre ont été créées par l'équipe de BBC Good Food magazine.

Imprimé en Espagne par Cayfosa
Dépôt légal : février 2011 – 305835/02 – 11017836 décembre 2011